Para

com votos de paz.

Divaldo Franco
Pelo Espírito Joanna de Ângelis

Amor, imbatível amor
Série Psicológica Joanna de Ângelis
Vol. 9

Salvador
18. ed. – 2024

COPYRIGHT ©(1998)
CENTRO ESPÍRITA CAMINHO DA REDENÇÃO
Rua Jayme Vieira Lima, 104
Pau da Lima, Salvador, BA.
CEP 412350-000
SITE: https://mansaodocaminho.com.br
EDIÇÃO: 18. ed. (7ª reimpressão) – 2024
TIRAGEM: 3.000 exemplares (milheiro: 95.500)
COORDENAÇÃO EDITORIAL
Lívia Maria C. Sousa

REVISÃO
Maíra Loiola · Christiane Lourenço
CAPA
Cláudio Urpia
EDITORAÇÃO ELETRÔNICA
Lívia Maria C. Sousa
MONTAGEM DE CAPA
Ailton Bosco
COEDIÇÃO E PUBLICAÇÃO
Instituto Beneficente Boa Nova

PRODUÇÃO GRÁFICA
LIVRARIA ESPÍRITA ALVORADA EDITORA – LEAL
E-mail: editora.leal@cecr.com.br

DISTRIBUIÇÃO
INSTITUTO BENEFICENTE BOA NOVA
Av. Porto Ferreira, 1031, Parque Iracema. CEP 15809-020
Catanduva-SP.
Contatos: (17) 3531-4444 | (17) 99777-7413 (WhatsApp)
E-mail: boanova@boanova.net
Vendas on-line: https://www.livrarialeal.com.br

Dados Internacionais de Catalogação na Publicação (CIP)
(Catalogação na fonte)
BIBLIOTECA JOANNA DE ÂNGELIS

F825	FRANCO, Divaldo Pereira. (1927)
	Amor, imbatível amor. 18. ed. / Pelo Espírito Joanna de Ângelis [psicografado por] Divaldo Pereira Franco, Salvador: LEAL, 2024 (Série Psicológica, volume 9).
	248 p.
	ISBN: 978-85-618790-83-9
	1. Espiritismo 2. Psicografia 3. Psicologia
	I. Franco, Divaldo II. Título
	CDD: 133.93

Bibliotecária responsável: Maria Suely de Castro Martins – CRB-5/509

DIREITOS RESERVADOS: todos os direitos de reprodução, cópia, comunicação ao público e exploração econômica desta obra estão reservados, única e exclusivamente, para o Centro Espírita Caminho da Redenção. Proibida a sua reprodução parcial ou total, por qualquer meio, sem expressa autorização, nos termos da Lei 9.610/98.
Impresso no Brasil | Presita en Brazilio

SÚMULA

A excelência do amor	9
1 AMOR, IMBATÍVEL AMOR	15
Amor e Eros	17
Desejo e prazer	21
Sexo e amor	24
Medo de amar	26
Casamento e companheirismo	29
2 CONQUISTA DO PRAZER	35
Poder para o prazer	36
Prazer e fuga da dor	40
Afeições e conflitos	44
3 FUGAS E REALIDADE	49
Hedonismo	50
O Eu e a ilusão	53
Dualidade do bem e do mal	58
A busca da realização	67

4 Mecanismos conflitivos — 73

Feridas e cicatrizes da infância — 76

Insegurança e arrependimento — 80

Nostalgia e depressão — 84

Existências fragmentadas — 89

5 A busca do sentido existencial — 93

O vazio existencial — 95

Necessidade de objetivo — 96

Significado do sofrimento na vida — 100

Relatividade da vida física — 103

6 Objetivos conflitivos — 107

Sucesso e fracasso — 109

Astúcia e criatividade — 112

Imagem e projeção — 115

Individualismo — 118

7 Tormentos modernos — 121

Massificação — 123

Perda do senso de humor — 126

Comportamentos autodestrutivos — 129

8 Queda e ascensão psicológica — 133

Despersonalização — 136

Conflito afetivo — 141

Recuperação da identidade — 145

Autoafirmação — 150

9 Algozes psicológicos — 155
Timidez — 157
Inibição — 162
Angústia — 167
Abandono de si mesmo — 171

10 Doenças da alma — 177
Mau humor — 179
Suspeitas infundadas — 183
Síndrome de pânico — 186
Sede de vingança — 189

11 Incertezas e busca psicológica — 193
Desajustamento — 195
Afetividade perturbada — 198
Busca de si mesmo — 202
Autoconfiança e autorrenovação — 206

12 Transtornos contemporâneos — 213
Perda do Si — 215
Ausência de alegria — 219
Impulsos doentios perversos — 223

13 Vitória do amor — 229
Amorterapia — 231
Amor-perdão — 234
Amor que liberta — 239
Amor de plenitude — 242

A EXCELÊNCIA DO AMOR

O processo de evolução do ser tem sido penoso, alongando-se pelos milênios sob o impositivo da fatalidade que o conduzirá à perfeição.

Dos automatismos primevos nas fases iniciais da busca da sensibilidade, passou para os instintos básicos até alcançar a inteligência e a razão, que o projetarão em patamar de maior significado, quando a sua comunicação se fará, mente a mente, adentrando-se, a partir daí, pelos campos vibratórios da intuição.

Preservando numa fase a herança das anteriores, o mecanismo de fixação das novas conquistas e superação das anteriores torna-se um desafio que lhe cumpre vencer.

Quanto mais largo foi o estágio no patamar anterior, mais fortes permanecem os atavismos e mais difíceis as adaptações aos valiosos recursos de que passa a utilizar.

Porque o trânsito no instinto animal foi de demorada aprendizagem, na experiência humana ainda predominam aqueles fatores afligentes que a lógica, o pensamento lúcido e a razão se empenham por substituir.

Agir, evitando reagir; pensar antes de atuar; reflexionar como passo inicial para qualquer empreendimento; promover *a paz, em vez de investir na violência constituem os passos decisivos para o comportamento saudável.*

A herança animal, no entanto, que o acostumara a tomar, a impor-se, a predominar, quando mais forte, se transformou em conflito psicológico, quando no convívio social inteligente as circunstâncias não facultaram esse procedimento primitivo.

Por outro lado, os fatores endógenos – hereditariedade, doenças degenerativas e suas sequelas –, assim como aqueles de natureza exógena – conflitos familiares, pressões psicossociais, religiosas, culturais, socioeconômicas, de relacionamento interpessoal – e os traumatismos cranianos, respondem pelos transtornos psicológicos e pelos distúrbios psiquiátricos que assolam a sociedade e desarticulam os indivíduos.

Criado o Espírito simples, para adquirir experiências a esforço próprio, e renascendo para aprimorar-se, as realizações se transferem de uma para outra vivência, dando curso aos impositivos da evolução que, enquanto não viger o amor, se imporão através dos processos aflitivos.

Inevitavelmente, porém, momento surge no qual há um despertamento para a emoção superior, e o amor brota, a princípio como impulso conflitivo, para depois agigantar-se de forma excelente, preenchendo os espaços emocionais e liberando as tendências nobres, enquanto dilui aquelas de natureza inferior.

O sexo, nesse imenso painel de experiências, na condição de atavismo predominante dos instintos primários essenciais, desempenha papel importante no processo da saúde psicológica e mental, não olvidando também a de natureza física.

Pela exigência reprodutora, domina os campos das necessidades do automatismo orgânico tanto quanto da emoção, tornando-se fator de desarmonia, quando descontrolado, ou precioso contributo para a sublimação, se vivenciado pelo amor.

Psicopatologias graves ou superficiais têm sua origem na conduta sexual frustrante ou atormentada, insegura ou instável, em razão das atitudes anteriores que promoveram os conflitos que decorrem daqueles procedimentos infelizes.

Nesse capítulo, a hereditariedade, a família, a presença da mãe castradora ou superprotetora, todos os fenômenos perinatais perturbadores são consequências das referidas ações morais pretéritas.

As terapias psicológicas, psicanalíticas e psiquiátricas, de acordo com cada psicopatologia, dispõem de valioso arsenal de recursos que, postos em prática, liberam as multidões de enfermos, gerando equilíbrio e paz.

Não obstante, a contribuição psicoterapêutica do amor é de inexcedível resultado, por direcionar-se ao Si profundo, restabelecendo o interesse do paciente pelos objetivos saudáveis da vida, de que se dissociara.

O Amor tem sido o grande modificador da cultura e da civilização, embora ainda remanesçam costumes bárbaros que facultam a eclosão de tormentos emocionais complexos...

O imperador Honório, por exemplo, que governava Roma e seus domínios, era jovem, algo idiota, covarde e pusilânime, conforme narra a História. No entanto, pressionado por cristãos eminentes, discípulos do Amor, fechou as escolas de gladiadores no ano de 399, onde se preparavam homicidas legais.

Quando os godos ameaçavam invadir a capital do Império, o general Stilicho, em nome do governante e do povo, abateu-os em sangrentas batalhas, expulsando-os de volta às regiões de origem em 403.

Ao serem celebradas essas vitórias no Coliseu – o monumental edifício sólido que comportava cinquenta mil expectadores e propiciava espetáculos variados quão formidandos –

estavam programadas cerimônias várias e esplendorosas como: corridas de bigas e quadrigas, desfiles, musicais, bailados... Por fim, em homenagem máxima ao Imperador e ao General, foram exibidas lutas de gladiadores, que se deveriam matar.

No auge da exaltação da massa, quando os primeiros lutadores se apresentaram na arena, um homem humilde atirou-se das galerias entre eles e começou a suplicar-lhes que não se matassem...

O estupor tomou conta da multidão que, logo recuperando a ferocidade, pôs-se a atirar-lhe pedras e tudo quanto as mãos alcançassem, ao tempo em que pediam a morte do intruso, de imediato assassinado para delírio geral...

Apesar do terrível desfecho, aquele foi o último espetáculo dantesco do gênero, e em 404, as lutas de gladiadores foram finalmente abolidas.

O sacrifício de amor do anônimo foi responsável pela radical mudança de hábitos na época.

Ressurgiram, sem dúvida, de forma diferente, naquelas denominadas marciais, no Oriente, e de boxe, no Ocidente, porque ainda predominam os instintos primitivos, mas serão proibidas em futuro não distante, como resultado da força do amor...

Assim também as guerras, as lutas fratricidas, os conflitos domésticos e sociais, quando a consciência de justiça suplantar as tendências destrutivas... o amor vencerá!

Examinamos, no presente livro, várias psicopatologias e conflitos hodiernos, recorrendo a admiráveis especialistas nessa área, a quem respeitamos; no entanto, colocamos uma ponte

espiritual entre as suas terapias valiosas e o amor, conforme a visão espírita, herdada do Psicoterapeuta Galileu.

Reconhecemos que não apresentamos qualquer originalidade que ainda não haja sido proposta. Dispusemo-nos, no entanto, a contribuir com apontamentos que esperamos possam ajudar a evitar a instalação de diversos conflitos naqueles que ainda não os registraram e auxiliar quem os padece, oferecendo-lhes experiências e informações, talvez ainda não tentadas que, certamente, contribuirão de forma eficaz para a conquista da saúde integral.

Tranquila, por havermos cumprido com o dever da solidariedade que deflui do amor, almejamos que os nossos leitores possam recolher algo de útil e de valioso do nosso esforço de bem servir, conforme aqui exposto.

Salvador, 18 de maio de 1998.
Joanna de Ângelis

1

AMOR, IMBATÍVEL AMOR

AMOR E EROS • DESEJO E PRAZER • SEXO E AMOR
• MEDO DE AMAR • CASAMENTO E COMPANHEIRISMO

O amor é substância criadora e mantenedora do Universo, constituído por essência divina.

É um tesouro que quanto mais se divide mais se multiplica, e se enriquece à medida que se reparte.

Mais se agiganta, na razão que mais se doa. Fixa-se com mais poder, quanto mais se irradia.

Nunca perece, porque não se entibia nem se enfraquece, desde que sua força reside no ato mesmo de doar-se, de tornar-se vida.

Assim como o ar é indispensável para a existência orgânica, o amor é o oxigênio para a alma, sem o qual ela se enfraquece e perde o sentido de viver.

É imbatível, porque sempre triunfa sobre todas as vicissitudes e ciladas.

Quando aparente – de caráter sensualista, que busca apenas o prazer imediato –, debilita-se e se envenena, ou se entorpece, dando lugar à frustração.

Quando real, estruturado e maduro – que espera, estimula, renova –, não se satura, é sempre novo e ideal, harmônico, sem altibaixos emocionais. Une as pessoas, porque reúne as almas, identifica-as no prazer geral da fraternidade, alimenta o corpo e dulcifica o Eu profundo.

O prazer legítimo decorre do amor pleno, gerador da felicidade, enquanto o comum é devorador de energias e de formação angustiante.

O amor atravessa diferentes fases: o infantil, que tem caráter possessivo; o juvenil, que se expressa pela insegurança; o maduro, pacificador, que se entrega sem reservas e faz-se plenificador.

Há um período em que se expressa como compensação, na fase intermediária entre a insegurança e a plenificação, quando dá e recebe, procurando liberar-se da *consciência de culpa*.

O estado de prazer difere daquele de plenitude, em razão de o primeiro ser fugaz, enquanto o segundo é permanente, mesmo que sob a injunção de relativas aflições e problemas-desafios que podem e devem ser vencidos.

Somente o amor real consegue distingui-los e os pode unir quando se apresentem esporádicos.

A ambição, a posse, a inquietação geradora de insegurança – ciúme, incerteza, ansiedade afetiva, cobrança de carinhos e atenções –, a necessidade de ser amado caracterizam o estágio do *amor infantil*, obsessivo, dominador, que pensa exclusivamente em si antes que no ser amado.

A confiança, suave-doce e tranquila, a alegria natural e sem alarde, a exteriorização do bem que se pode e se deve executar, a compaixão dinâmica, a não posse, não dependência, não exigência são benesses do amor pleno, pacificador, imorredouro.

Amor, Imbatível Amor

Mesmo que se modifiquem os quadros existenciais, que se alterem as manifestações da afetividade do ser amado, o amor permanece libertador, confiante, indestrutível.

Nunca se impõe, porque é espontâneo como a própria vida e irradia-se mimetizando, contagiando de júbilos e de paz.

Expande-se como um perfume que impregna, agradável, suavemente, porque não é agressivo nem embriagador ou apaixonado...

O amor não se apega, não sofre a falta, mas frui sempre, porque vive no íntimo do ser e não das gratificações que o amado oferece.

O amor deve ser sempre o ponto de partida de todas as aspirações e a etapa final de todos os anelos humanos.

O clímax do amor se encontra naquele sentimento que Jesus ofereceu à Humanidade e prossegue doando, na Sua condição de Amante não amado.

AMOR E EROS

O amor se expressa como sentimento que se expande, irradiando harmonia e paz, terminando por gerar plenitude e renovação íntima. Igualmente se manifesta mediante as necessidades de intercâmbio afetivo, no qual os indivíduos se completam, permutando hormônios que relaxam o corpo e dinamizam as fontes de inspiração da alma, impulsionando para o progresso.

Sem ele, entibiam-se as esperanças e deperece o objetivo existencial do ser humano na Terra.

As grandes construções do pensamento sempre se alicerçam nas suas variadas manifestações, concitando ao engrandecimento espiritual, arrebatando pelos ideais de dignificação humana e fomentando tanto o desenvolvimento intelectual como o moral.

Valioso veículo para que se perpetue a espécie, quando no intercurso sexual, de que se faz o mais importante componente, é a força dinâmica e indispensável para que a vida se alongue, etapa a etapa, ditosa e plena.

Nos outros reinos – animal e vegetal –, manifesta-se como instinto no primeiro e fator de sincronia no segundo, de alguma forma embriões da futura conquista da evolução.

Adorna a busca com a melodia da ternura e encanta mediante a capacidade que possui de envolvimento, sem agressão ou qualquer outro tipo de tormento.

Sob a sua inspiração as funções sexuais se enobrecem e a sexualidade se manifesta rica de valores sutis: um olhar de carinho, um toque de afetividade, um abraço de calor, um beijo de intimidade, uma carícia envolvente, uma palavra enriquecedora, um sorriso de descontração, tornando-se veículo de manifestação da sua pujança, preparando o campo para manifestações mais profundas e responsáveis.

Como é verdade que o instinto reprodutor realiza o seu mister automaticamente, quando, no entanto, o amor intervém, a sensação se ergue ao grau de emoção duradoura com todos os componentes fisiológicos, sem a selvageria da posse, do abandono e da exaustão.

A harmonia e a satisfação de ambos os parceiros constituem o equilíbrio do sentimento que se espraia e produz plenitude.

A libido, sob os seus impulsos, como força criadora, não produz tormento, não exige satisfação imediata, irradiando-se, também, como vibração envolvente, imaterial, profundamente psíquica e emocional.

Amor, Imbatível Amor

Quando o sexo se impõe sem o amor, a sua passagem é rápida, frustrante, insaciável...

Por outro lado, os mitólogos definem Eros, na conceituação antiga do Olimpo grego, como a divindade que representa o amor, particularmente o de natureza física.

Eros teria nascido do caos primitivo, portanto, espontaneamente, como manifestação da vida afetiva. A partir do século VI a.C., passou a ser representativo da paixão, e teria tido uma origem diferente, uma gênese mais poética, comparecendo como filho de Hermes e Afrodite, ou como descendente de Cronos e Gê, ou de Zéfiro e Íris, ou ainda, de Afrodite e Marte... Foi objeto de culto particular e especial em Téspias, Esparta, Samos, Atenas, merecendo esse culto ser associado ao que se dispensava a Afrodite, Carites, Dionísio e Hércules. Por extensão, passou a representar o desejo sexual, a função meramente decorrente do gozo sensualista, dos prazeres e satisfações sexuais.

Posteriormente, os romanos identificaram-no como Cupido, filho de Vênus, inicialmente representado como um adolescente, enquanto na Grécia possuía a aparência de uma criança algo maliciosa, que se fazia conhecer com ou sem asas, arco e flecha nas mãos. Foi tido como o mais poderoso dos deuses durante muito tempo.

O importante, porém, é que, em nosso conceito pessoal, o amor transcende os desejos sexuais, enquanto Eros, que pode ser portador de sentimento afetivo, caracteriza-se pelos condimentos da libido, sempre direcionada para os prazeres e satisfações imediatas da utilização do sexo.

O amor é permanente, enquanto Eros é transitório. O primeiro felicita, proporcionando alegrias duradouras; o segundo agrada e desaparece voraz, como chama crepitante que arde e gasta o combustível, logo se convertendo em cinzas que se esfriam...

Eros toma conta dos sentidos e responde pelas paixões desenfreadas, pelos conflitos da insatisfação, que levam ao crime, ao desar, ao desespero. Tendo, por objetivo imediato e inadiável, o atendimento dos desejos mentais do desequilíbrio sexual, é responsável pela alucinação que predomina nos grupos sociais em desalinho.

Assomando em catadupas de posse enceguecida, não confia, envenena-se pelo ciúme, transtorna-se pela insegurança, fere e magoa, derrapando em patologias sexuais devastadoras e perversões alucinantes.

O amor dulcifica e acalma, espera e confia. É enriquecedor, e, embora se expresse em desejos ardentes que se extasiam na união sexual, não consome aqueles que se lhe entregam ao *abrasamento*, porque se enternece e vitaliza, contribuindo para a perfeita união.

O amor utiliza-se de Eros, sem que se lhe submeta, enquanto este raramente se unge do sentimento de pureza e serenidade que caracterizam o primeiro.

Os atuais são dias de libido desenfreada, de paixão avassaladora, de predominância dos desejos que desgovernam as mentes e aturdem os sentimentos sob o comando de Eros.

Não obstante, o amor está sendo convidado a substituir a ilusão que o sexo automatista produz, acalmando as ansiedades enquanto alça os seres humanos ao planalto das aspirações mais libertadoras.

Desejo e prazer

O desejo, que leva ao prazer, pode originar-se no instinto, em forma de necessidade violenta e insopitável, tornando-se um impulso que se sobrepõe à razão, predominando em a natureza humana, quando ainda primitiva na sua forma de expressão. Nesse caso, torna-se imperioso, devorador e incessante. Sem o controle da razão, desarticula os equipamentos delicados da emoção e conduz ao desajuste comportamental.

Como sede implacável, não se sacia, porque é devoradora, mantendo-se ao nível de sensação periférica na área dos sentimentos que se não deixam de todo dominar.

É voraz e tormentoso, especialmente na área genésica, expressando-se como erotismo, busca sexual para o gozo.

Em esfera mais elevada, torna-se sentimento, graças à conquista de algum ideal, alguma aspiração, anseio por alcançar metas agradáveis e desafiadoras, propensão à realização enobrecedora.

Dir-se-á que as duas formas confundem-se em uma única, o que, para nós, tem sentido diferente, quando examinamos a função sexual e o desejo do belo, do nobre, do harmonioso, em comparação àquele de natureza orgânica, erótica, de compensação imediata até nova e tormentosa busca.

O desejo impõe-se como fenômeno biológico, ético e estético, necessitando ser bem administrado em um como noutro caso, a fim de se tornar motivação para o crescimento psicológico e espiritual do ser humano.

É natural, portanto, a busca do prazer, esse desejo interior de conseguir o gozo, o bem-estar, que se expressa após a conquista da meta em pauta.

Por sua vez, o prazer é incontrolável, assim como não administrável pela criatura humana.

Goethe afirmava que ele constituía uma verdadeira dádiva de Deus para todos quantos se identificam com a vida e que se alegram com o esplendor e a beleza que ela revela. A vida, em consequência, retribui-o por meio do amor e da graça.

O prazer se apresenta sob vários aspectos: orgânico, emocional, intelectual, espiritual, sendo, ora físico, material, e noutros momentos de natureza abstrata, estético, efêmero ou duradouro, mas que deve ser registrado fortemente no psiquismo, para que a existência humana expresse o seu significado.

O prazer depende, não raro, de como seja considerado. Aquilo que é bom genericamente dá prazer, abrindo espaço para o medo da perda, das faltas, ou para as situações em que pode gerar danos, auxiliando na queda do indivíduo em calabouços de aflição.

Muitas pessoas consideram o prazer apenas como expressão da lascívia, e se olvidam daquele que decorre dos ideais conquistados, da beleza que se expande em toda parte e pode ser contemplada, das inefáveis alegrias do sentimento afetuoso, sem posse, sem exigência, sem o condicionamento carnal.

Por uma herança atávica, grande número de pessoas tem medo do prazer, da felicidade, por associá-lo ao pecado, à falta de mérito, que se tornaria uma dívida a resgatar, ensejando à desgraça vir-lhe empós, ou, talvez, como uma tentação diabólica para retirar a alma do caminho do bem.

Tal castração punitiva, que se prolongou por muitos séculos, ao ser vencida deixou uma certa *consciência de culpa*

Amor, Imbatível Amor

que, liberada, vem conduzindo uma verdadeira legião de gozadores ao desequilíbrio, ao abuso, ao extremo das aberrações.

Como efeito secundário, ainda existem muitas pessoas que temem o prazer ou que procuram dissimulá-lo, envolvendo-o em roupagens variadas de desculpismos, para acalmar seus conflitos subjacentes.

Acentuamos, porém, que o prazer é uma força criadora, predominante em tudo e em todos, responsável pela personalidade, mesmo pela esperança. Muitas vezes, é confundido com o desejo de tudo possuir, a fim de desfrutar, mais tarde, da cornucópia carregada de todos os gozos, preferentemente o de natureza sexual.

Wilhelm Reich, o eminente autor da *Bioenergética*, centrou, no prazer, todas as buscas e aspirações humanas, considerando que a pessoa é somente o seu corpo, e que este é constituído por um sistema energético que deve ser trabalhado, sempre que a *couraça* bloqueie a *emoção,* propondo como terapia a *Teoria dos Anéis,* a fim de, através a sua aplicação nas *couraças* correspondentes, poder liberar a *emoção* encarcerada.

Tendo, no corpo somente, a razão de ser da vida, Reich tornou-se apologista do prazer carnal, sensual, capaz de levar ao estado de felicidade psicológica, emocional.

A natureza espiritual do ser humano, no entanto, não mereceu qualquer referencial de Reich, assim como de outros estudiosos do comportamento e da criatura em si mesma, na sua complexidade, ficando em plano secundário.

Desse modo, o desejo e o prazer se transformam em alavancas que promovem o indivíduo ou abismos que o devoram.

A essência da vida corporal, no entanto, é a conquista de si mesmo, a luta bem direcionada para que se consiga a vitória do *Self,* a sua harmonia, e não apenas o gozo breve, que se transfere de um estágio para outro, sempre mais ansioso e perturbador.

SEXO E AMOR

Na sua globalidade, o amor é sentimento vinculado ao *Self,* enquanto a busca do prazer sexual está mais pertinente ao *ego,* responsável por todo tipo de posse.

O sentimento de amor pode levar a uma comunhão sexual, sem que isso lhe seja condição imprescindível. No entanto, o prazer sexual pode ser conseguido pelo impulso meramente instintivo, sem compromisso mais significativo com a outra pessoa, que normalmente se sente frustrada e usada.

Os profissionais do sexo, porque perdem o componente essencial dos estímulos, em razão do abuso de que se fazem portadores, derrapam nas explosões eróticas, buscando recursos visuais que lhes estimulem a mente, a fim de que a função possa responder de maneira positiva. Mecanicamente se desincumbem da tarefa animal e violenta, tampouco se satisfazendo, porquanto acreditam que estão em tarefa de aliciamento de vidas para o comércio extravagante e nefando da venda das sensações fortes a que se habituaram.

O amor, como componente para a função sexual, é meigo e judicioso, começando pela carícia do olhar que se enternece e vibra todo o corpo ante a expectativa da comunhão renovadora.

Essa libido tormentosa, veiculada pela *mídia* e exposta nas lojas em forma de artefatos, torna-se aberração

Amor, Imbatível Amor

que passa para exigências da estroinice, resvalando nos abismos de outros vícios que se lhe associam.

Quando o sexo se apresenta exigente e tormentoso, o indivíduo recorre aos expedientes emocionais da violência, da perseguição, da hediondez.

Os grandes carrascos da Humanidade, até onde se os pode entender, eram portadores de transtornos sexuais, que procuravam dissimular, transferindo-se para situações de relevo político, social, guerreiro, tornando-se temerários, porque sabiam da impossibilidade de serem amados.

Quando o amor domina as paisagens do coração, mesmo existindo quaisquer dificuldades de ordem sexual, faz-se possível superá-las mediante a transformação dos desejos e frustrações em solidariedade, em arte, em construção do bem, que visam ao progresso das pessoas, assim como da comunidade, tornando-se, portanto, irrelevantes tais questões.

O ser humano, embora vinculado ao sexo pelo atavismo da reprodução, está fadado ao amor, que tem mais vigor do que o simples intercurso genital.

Sem dúvida, por outro lado, as grandes edificações de grandeza da Humanidade tiveram no sexo o seu *élan* de estímulo e de força. Não obstante, persegue-se o sucesso, a glória efêmera, o poder para desfrutar dos prazeres que o sexo proporciona, resvalando-se em equívoco lamentável e perturbador.

O amor à arte e à beleza igualmente inspirou Michelangelo a pintar a capela Sistina, entre outras obras magistrais, a esculpir *La Pietà* e o *Moisés;* o amor à Ciência conduziu Pasteur à descoberta dos micróbios; o amor à Verdade levou Jesus à cruz, traçando uma rota de segurança para as criaturas humanas de todos os tempos...

O amor é o doce enlevo que embriaga de paz os seres e os promove aos píncaros da autorrealização, estimulando o sexo dignificado, reprodutor e calmante.

Sexo, em si mesmo, sem os condimentos do amor é impulso violento e fugaz.

MEDO DE AMAR

A insegurança emocional responde pelo medo de amar.

Como o amor constitui um grande desafio para o *Self*, o indivíduo enfermiço, de conduta transtornada, inquieto, ambicioso, vítima do egotismo, evita amar, a fim de não se desequipar dos instrumentos nos quais oculta a debilidade afetiva, agredindo ou escamoteando-se em disfarces variados.

O amor é mecanismo de libertação do ser, mediante o qual todos os revestimentos da aparência cedem lugar ao Si profundo, despido dos atavios físicos e mentais, sob os quais o *ego* se esconde.

O medo de amar é muito maior do que parece no organismo social. As criaturas, vitimadas pelas ambições imediatistas, negociam o prazer que denominam como amor ou impõem-se ser amadas, como se tal conquista fosse resultado de determinados condicionamentos ou exigências, que sempre resultam em fracasso.

Toda vez que alguém exige ser amado, demonstra desconhecimento das possibilidades que lhe dormem em latência e afirma os conflitos de que se vê objeto. O amor, para tal indivíduo, não passa de um recurso para uso, para satisfações imediatas, iniciando pela projeção da imagem que se destaca, não percebendo que aqueloutros que o louvam

Amor, Imbatível Amor

e bajulam, demonstrando-lhe afetividade, são, também, inconscientes, que se utilizam da ocasião para darem vazão às necessidades de afirmação da personalidade, ao que denominam de *um lugar ao Sol*, no qual pretendem brilhar com a claridade alheia.

Vemo-los no desfile dos oportunistas e gozadores, dos bulhentos e aproveitadores que sempre cercam as pessoas denominadas de sucesso, ao lado das quais se encontram vazios de sentimento, não preenchendo os espaços daqueles a quem pretendem agradar, igualmente sedentos de amor real.

O amor está presente no relacionamento existente entre pais e filhos, amigos e irmãos. Mas também se expressa no sentimento do prazer, imediato ou que venha a acontecer mais tarde, em forma de bem-estar. Não se pode dissociar o amor desse mecanismo do prazer mais elevado, mediato, aquele que não atormenta nem exige, mas surge como resposta emergente do próprio ato de amar. Quando o amor se instala no ser humano, de imediato uma sensação de prazer se lhe apresenta natural, enriquecendo-o de vitalidade e de alegria com as quais adquire resistência para a luta e para os grandes desafios, aureolado de ternura e de paz.

O amor resulta da emoção, que pode ser definida como uma *reação intensa e breve do organismo a um lance inesperado, a qual se acompanha dum estado afetivo de concentração penosa ou agradável*, do ponto de vista psicológico. Também pode ser definida como *o movimento emergente de um estado de excitamento de prazer ou dor*.

Como consequência, o amor sempre se direciona àqueles que são simpáticos entre si e com os quais se pode manter um relacionamento agradável. Este conceito, porém, se restringe à exigência do amor que se expressa pela emoção física, transformando-se em prazer sensual.

Sob outro aspecto, há o amor profundo, não necessariamente correspondido, mas feito de respeito e de carinho pelo indivíduo, por uma obra de arte, por algo da Natureza, pelo ideal, pela conquista de alguma coisa superior ou transcendente, para cujo logro se empenham todas as forças disponíveis, em expectativa de um prazer remoto a alcançar.

As experiências positivas desenvolvem os sentimentos de afetividade e de carinho, as desagradáveis propõem uma postura de reserva ou que se faz cautelosa, quando não se apresenta negativa.

No medo de amar, estão definidos os traumas de infância, cujos reflexos se apresentam em relação às demais pessoas como projeções dos tormentos sofridos naquele período. Também pode resultar de insatisfação pessoal, em conflito de comportamento por imaturidade psicológica, ou reminiscência de sofrimentos, ou nos seus usos indevidos em reencarnações transatas.

De alguma forma, no amor, há uma natural necessidade de aproximação física, de contato e de contiguidade com a pessoa querida.

Quando se é carente, essa necessidade torna-se tormentosa, deixando de expressar o amor real para tornar-se desejo de prazer imediato, consumidor. Se for estabelecida uma dependência emocional, logo o amor se transforma e torna-se um tipo de ansiedade que se confunde com o verdadeiro sentimento. Eis por que, muitas vezes, quando alguém diz com aflição *eu o amo*, está tentando dizer *eu necessito de você*, que são sentimentos muito diferentes.

Amor, Imbatível Amor

O amor condicional, dependente, imana uma pessoa à outra, em vez de libertá-la.

Quando não existe essa liberdade, o significado do *eu o amo,* o transforma na exigência de *você me deve amar,* impondo uma resposta de sentimento inexistente no outro.

O medo de amar também tem origem no receio de não merecer ser amado, o que constitui um complexo de inferioridade.

Todas as pessoas são carentes de amor e dele credoras, mesmo quando não possuam recursos hábeis para consegui-lo. Mas sempre haverá alguém que esteja disposto a expandir o seu sentimento de amor, sintonizando com outros, também portadores de necessidades afetivas.

O medo, pois, de amar, pelo receio de manter um compromisso sério, deve ser substituído pela busca da afetividade, que se inicia na amizade e termina no amor pleno. Tal sentimento é agradável pela oportunidade de expandir-se, ampliando os horizontes de quem deseja amigos e torna-se companheiro, desenvolvendo a emoção do prazer pelo relacionamento desinteressado, que se vai alterando até se transformar em amor legítimo.

Indispensável, portanto, superar o conflito do medo de amar, iniciando-se no esforço de afeiçoar-se a outrem, não gerando dependência, nem impondo condições.

Somente assim a vida adquire sentido psicológico, e o sentimento de amor domina o ser.

CASAMENTO E COMPANHEIRISMO

O resultado natural do amor entre pessoas de sexos diferentes é o casamento, quando se tem por meta a comunhão física, o desenvolvimento da emoção psíquica, o relacionamento gerador da família e o companheirismo.

O matrimônio representa um estágio de alto desenvolvimento do *Self,* quando se reveste de respeito e consideração pelo cônjuge, firmando-se na fidelidade e nos compromissos da camaradagem em qualquer estágio da união que os vincula, reciprocamente, um ao outro ser.

Conquista da monogamia, mediante grandes lutas, o instinto vem sendo superado pela inteligência e pela razão, demonstrando que o sexo tem finalidades específicas, não devendo a sua função ser malbaratada nos jogos do prazer incessante, e significa uma autorrealização da sociedade, que melhor compreende os direitos da pessoa feminina, que deixa de ser um objeto para tornar-se nobre e independente quanto é. O mesmo ocorre em relação ao esposo, cabendo à mulher o devido cumprimento dos deveres de o respeitar, mantendo-se digna em qualquer circunstância e época após o consórcio.

Mais do que um ato social ou religioso, conforme estabelecem algumas Doutrinas ancestrais, vinculadas a dogmas e a ortodoxias, o casamento consolida os vínculos do amor natural e responsável, que se volta para a construção da família, essa admirável célula básica da Humanidade.

O lar é, ainda, o santuário do amor, no qual as criaturas se harmonizam e se completam, dinamizando os compromissos que se desdobram em realizações que dignificam a sociedade.

Por isso, quando o egoísmo derruba os vínculos do matrimônio por *necessidades* sexuais de variação, ou porque houve um processo de saturação no relacionamento, havendo filhos, gera-se um grave problema para o grupo social,

Amor, Imbatível Amor

não menor do que em relação a si mesmo, assim como àquele que fica rejeitado.

Certamente, nem todos os dias da convivência matrimonial serão festivos, mas isso ocorre em todos os campos do comportamento. Aquilo que hoje tem um grande sentido e desperta prazer, amanhã, provavelmente, se torna maçante, desagradável. Nesse momento, a amizade assume o seu lugar, amenizando o conflito e proporcionando o companheirismo agradável e benéfico, que refaz a comunhão, sustentando a afeição.

Em verdade, o que mantém o matrimônio não é o prazer sexual, sempre fugidio, mesmo quando inspirado pelo amor, mas a amizade, que responde pelo intercâmbio emocional por intermédio do diálogo, do interesse nas realizações do outro, na convivência compensadora, na alegria de sentir-se útil e estimado.

Há muitos fatores que contribuem para o desconcerto conjugal na atualidade, como os houve no passado. Primeiro, os de natureza íntima: insegurança, busca de realização pelo método da fuga, insatisfação em relação a si mesmo, transferência de objetivos, que nunca se completarão em uma união que não foi amadurecida pelo amor real. Segundo, por outros de ordem psicossocial, econômica, educacional, nos quais estão embutidos os culturais, de religião, de raça, de nacionalidade, que sempre comparecem como motivo de desajuste, passados os momentos de euforia e de prazer. Ainda se podem relacionar aqueles que são consequências de interesses subalternos, nos quais o sentimento do amor esteve ausente. Nesses casos, já se iniciou o compromisso com programa de extinção, o que logo sucede. Há, ainda, mais alguns que são derivados do interesse de obter sexo gratuitamente, quando seja solicitado, o que derrapa em verdadeira amoralidade de comportamento.

O matrimônio, fomentando o companheirismo, permite a plenificação do par, que passa a compreender a grandeza das emoções profundas e realizadoras, administrando as dificuldades que surgem, prosseguindo com segurança e otimismo.

Nos relacionamentos conjugais profundos também podem surgir dificuldades de entendimento, que devem ser solucionadas mediante a ajuda especializada de conselheiro de casais, de psicólogos, da religião que se professa, e, principalmente, por intermédio da oração que dulcifica a alma e faculta melhor entendimento dos objetivos existenciais. Desse modo, a tolerância toma o lugar da irritação, a compreensão satisfaz os estados de desconforto, favorecendo com soluções hábeis para que sejam superadas essas ocorrências.

É claro que o casamento não impõe um compromisso irreversível, o que seria terrivelmente perturbador e imoral, em razão de todos os desafios que apresenta, os quais deixam muitas sequelas, quando não necessariamente diluídos pela compreensão e pela afetividade.

A separação legal ocorre quando já houve a de natureza emocional, e as pessoas são estranhas uma à outra.

Ademais, a precipitação faz com que as criaturas se consorciem não com a individualidade, o ser real, mas sim com a personalidade, a aparência, com os maneirismos, com as projeções que desaparecem na convivência, desvelando cada qual conforme é, e não como se apresentava no período da conquista.

Amor, Imbatível Amor

Essa desidentificação, também conhecida como o cair da máscara, causa, não poucas vezes, grandes choques, produzindo impactos emocionais devastadores.

O ser amadurecido psicologicamente procura a emoção do matrimônio, sobretudo para preservar-se, para plenificar-se, para sentir-se membro integrante do grupo social, com o qual contribui em favor do progresso. A sua decisão reflete-se na harmonia da sociedade, que dele depende, tanto quanto ele se lhe sente necessário.

Todo compromisso afetivo, portanto, que envolve dois indivíduos, torna-se de magna importância para o comportamento psicológico de ambos. Rupturas abruptas, cenas agressivas, atitudes levianas e vulgaridade geram lesões na alma da vítima, assim como naquele que as assume.

2

CONQUISTA DO PRAZER

PODER PARA O PRAZER • PRAZER E FUGA DA DOR
• AFEIÇÕES E CONFLITOS

A cultura hedonista tem-se direcionado exclusivamente para o culto do prazer, principalmente aquele que se adquire com o menor esforço.

Ninguém, entretanto, consegue viver em harmonia consigo próprio, sem a autorrealização, sem a conquista das metas que facultam essa emoção estimuladora e vital.

Não obstante, a vida possui outros significados de profundidade, outras realizações que, certamente, resultarão em prazer ético, estético, espiritual. Como consequência, a proposta hedonista falha no seu próprio conteúdo, que seria tornar a vida uma busca de prazer incessante.

São inevitáveis as ocorrências do desgaste orgânico, do conflito psicológico, do distúrbio mental, das dificuldades financeiras, sociais, existenciais.

A própria dor faz parte do processo que integra a criatura no contexto da sociedade, sem cujo contributo desapareceriam os esforços para o autoaprimoramento, a iluminação pessoal, o progresso geral.

A emoção de dor constitui mecanismo da vida, que deve ser atendida sem disfarce, porquanto o próprio crescimento do ser depende das experiências que ela proporciona.

Quando o estoicismo propôs a resignação diante da dor, Atenas se encontrava sob imensos desafios políticos e morais.

Renascendo várias vezes na História e trazendo a sua contribuição para a felicidade da criatura humana, a partir de Boécio, que o vinculou à proposta cristã vigente, esteve no pensamento de René Descartes, de Montaigne e de outros, convidando à reflexão e à coragem em quaisquer circunstâncias. Todavia, embora seja valiosa essa contribuição, a resignação sem uma imediata ou simultânea ação que conduza o ser a libertar-se da injunção dolorosa, pode fazê-lo derrapar numa atitude masoquista, perturbadora.

A atitude estoica deve ser seguida pelo esforço de vencer o sofrimento, criando situações diferentes que gerem prazer, proporcionando motivação para prosseguir a existência corporal, que é de grande importância para a vida em si mesma.

Intermediando as duas conceituações filosóficas, o idealismo de Sócrates e Platão constitui-se como uma condição indispensável para a plenitude do prazer que pode ser conseguido mediante a consciência tranquila, que se torna fruto de um coração pacificado em razão das ações de nobreza realizadas.

PODER PARA O PRAZER

A formulação hedonista do prazer conduz o indivíduo a considerá-lo como uma inevitável consequência do poder, transferindo todas as aspirações para esse tipo de conquista, muito confundido com o triunfo em apresentação de sucesso.

Amor, Imbatível Amor

O poder tem recursos para levar ao prazer em razão das portas que abre, quase todas, porém, de resultados enganosos, porque aqueles que se acercam dos poderosos estão, quase sempre, atormentados pelo *ego*, utilizando-se da circunstância para satisfazer aos conflitos em que se debatem. Os seus referenciais são falsos, a sua amizade é insustentável, a sua solidariedade é enganosa, e eles trabalham como atores em uma peça cuja fantasia é a realidade...

A busca do poder vem-se tornando febril, gerando conceitos errôneos que propõem qualquer método desde que o objetivo seja alcançado, especialmente com brevidade, já que o tempo é muito importante para a usança do prazer.

Na obra de Oscar Wilde, denominada *O retrato de Dorian Gray*, é possível ver-se a terrível aflição do jovem para manter a aparência, a fim de desfrutar de todos os gozos, mesmo os derivados da abjeção, com rapidez e sofreguidão.

Não lhe importavam as vidas ceifadas, as angústias dilaceradoras que a sua insaciável busca ia deixando para trás. A indução infeliz de Lorde Harry Wolton permanecia-lhe na mente aturdida, como uma hipnose dominadora. Ele falara-lhe que a juventude passava rapidamente e que o corpo belo se transformaria inevitavelmente, desorganizando-se, degenerando. Seria, pois, necessário fruir o prazer até a exaustão, naquele momento fugidio, na estação dos verdes anos.

O moço, embriagado pelo narcisismo, sem escutar a sensatez do seu amigo, o pintor Basil Hallward, deixou-se arrebatar e proclamou o desejo de que envelhecesse o retrato, não ele, ficando no esplendor da juventude, que era o seu poder mais relevante, assim passando a viver a situação amarga que o vitimou.

Wilde, sem conhecer os complexos mecanismos do perispírito, descreveu como os atos ignóbeis do ser passam a ser registrados nesse corpo intermediário e sutil, que se deforma até a mais vulgar e depravada expressão, decorrente da conduta perversa e promíscua de Dorian, culminando em mais crime e na tragédia da autoconsumpção...

Por outro lado, o poder econômico parece acenar com maior quota de prazeres, considerando-se o número de pessoas que se escravizam ao dinheiro, vendendo a própria existência para atender à desmedida ambição. Em razão disso, o desespero pela sua aquisição torna-se meta de muitas vidas que naufragam, quando o conseguem – não se sentindo completadas interiormente – ou quando não se veem abençoadas pelo apoio da fortuna, enveredando pelo corredor da revolta e tombando mais além da miséria a que se entregam.

O poder converte-se, desse modo, em verdadeira paixão ou numa quimera a ser perseguida. E porque os seus valores são ilusórios, as suas vítimas se multiplicam volumosamente.

Todos aspiram a algum tipo de poder. Até o *poder da mentira* é mencionado com suficiente força para se conseguir algum triunfo, e não são poucos os indivíduos que o utilizam, terminando por infamar, destruir, malsinar...

Mediante o poder adquire-se a possibilidade de manipular vidas, alterar comportamentos, atingir os cumes das vaidades doentias.

É inata essa ambição, porquanto está presente nos animais, expressando-se em força, mediante a qual sobrevive o espécime mais forte.

O homem, no entanto, porque pensa, recorre ao poder a fim de desfrutar de mais prazer, e o faz individualmente,

Amor, Imbatível Amor

tornando-se um perigo quando o transfere para as massas que, através de pressões violentas, alteram a conduta do próprio grupo social: sindicatos para a defesa de empregados; agremiações para proteção dos seus membros; clubes para recreações; condomínios para guarda de algumas elites; clínicas de variadas especialidades para a proteção da saúde...

Graças a essa força transformada em poder coletivo, o processo de evolução da Humanidade tornou-se factível, mas também as guerras irromperam cada vez mais cruéis, as calamidades sociais mais desastrosas, o crime organizado mais virulento... Nessa marcha, com a soma do poder nas mãos de governos arbitrários, a possibilidade da destruição de milhões de vidas e mesmo do planeta, torna-se uma realidade nunca descartada pelos estudiosos do comportamento coletivo dos povos.

O poder, quando em pessoas imaturas, corrompe-as, assim como se torna instrumento de perversão de outros indivíduos que se lhe entregam inermes e ansiosos.

Tudo, porém, guardando-se a ambição do prazer que se poderá usufruir.

O poder, por mais recursos disponha, é antagônico ao prazer. Isso porque o prazer resulta do inter-relacionamento das energias que são liberadas no fluxo das sensações que o ser corporal experimenta em si mesmo ou no meio em que se movimenta. O poder, no entanto, é forte enquanto produz o represamento e o controle da energia. Ademais, o poder é fonte de conflito, o que impede o prazer real, exceto em condições patológicas do seu possuidor.

Por intermédio do poder surgem o abuso, a ausência de senso das proporções, a dominação ameaçadora e desagregadora do relacionamento humano. A vida familiar perde a sua estrutura quando um dos cônjuges assume o poder e o expande, submetendo o outro e os demais membros do clã. No grupo social, o mais fraco se sente sempre intimidado sob a espada de Dâmocles, que parece prestes a cair-lhe sobre a cabeça.

Há uma tendência natural no poder, que o leva a submeter os demais seres ao seu talante, tornando-se repressório e cruel. Toda repressão e crueldade castram o prazer, mesmo quando este se pode apresentar, porque se vê rechaçado ou rebaixado à condição de satisfação individual, angustiada.

Quando o poder, no entanto, supera as barreiras dos interesses mesquinhos do *ego*, passa a trabalhar para a comunidade igualitária, na qual surgirão os prazeres compensadores. Para que tal se realize, torna-se inevitável a necessidade, o cultivo da criatividade, permitindo que o ser humano cresça e expanda a sua capacidade realizadora, fomentando o bem-estar geral e a harmonia entre os indivíduos, jamais se direcionando para fins que não scjam o crescimento e a valorização da sociedade.

Seja qual for a forma de poder, torna-se imprescindível a liberação da sua carga egoísta para preencher a superior finalidade do prazer.

PRAZER E FUGA DA DOR

Mecanismos conscientes como inconscientes propelem o indivíduo a fugir do sofrimento, que se lhe afigura como processo de perturbação e desequilíbrio.

Remanescente das experiências animais, nas quais a dor feria a sensibilidade do instinto, produzindo desespero incontrolável, por falta do recurso da razão, tal atavismo

Amor, Imbatível Amor

transforma-se em arquétipo conflitivo ínsito no inconsciente coletivo, tornando-se gênese de fobias variadas, que se avultam e se transformam em estados patológicos.

Por outro lado, vivências anteriores que decorrem de reencarnações malsucedidas, transformam-se em receios, que são reminiscências do já passado ou predisposição automática para futuros acontecimentos.

Esses sucessos encontram-se estabelecidos pela *Lei de Causa e Efeito*, que é inexorável na sua programática, afinal decorrente da conduta do próprio Espírito, na sua condição de autor de todos os fenômenos que o alcançam, em razão da sua observância ou não aos Estatutos da Vida.

O sentimento de medo que alcança o ser humano é sempre descarregado através da fuga, evitando que aconteça o lance perturbador.

Expressa-se, esse medo, toda vez que se pressente a predominância de uma força superior, real ou não, que pode produzir sofrimento. Surge, então, o desafio entre fugir e enfrentar, dependendo da reação momentânea que se apossa do indivíduo.

Relativamente aos danos que o sofrimento pode causar, surgem as manifestações de medo físico, moral e psíquico, afetando o comportamento.

O de natureza física fere a organização somática, cujos efeitos poderão ser controlados pelas resistências emocionais. No entanto, o despreparo para a agressão corporal faculta que a dor se irradie pelo sistema nervoso central, tornando-se desagradável e desgastante.

O de natureza moral é mais profundo, porque desarticula a sensibilidade psicológica, apresentando a soma de prejuízos que causa no conceito em torno do ser, dos seus propósitos, da aura da sua dignidade, terminando por afetar-lhe o equilíbrio emocional.

(...) E quando as resistências morais são abaladas, facilmente surgem os sofrimentos psíquicos, as fixações que produzem danos nos painéis da mente, empurrando para transtornos graves.

Esse medo de acontecimentos de tal porte impulsiona à raiva, como recurso preventivo, que leva a agredir antes de ser vitimado, ou à reação que se transforma em quantidade de força que o ajuda a superar o receio que o acomete, seja em relação ao volume ou ao peso do opositor.

Onde, todavia, a raiva não se pode expressar, porque o perigo é impalpável, se apresenta abstrato ou toma um vulto assustador, o medo desempenha o seu papel de preponderância, dominando como fantasma triunfante, que aparvalha.

Na sua psicogênese, estão presentes fatores que ficaram na infância ou na juventude, nos processos castradores da educação e da formação da personalidade, que levavam ao pranto ante a escuridão, às ameaças reais ou veladas, à presença da mãe castradora, do pai negligente ou violento, à insatisfação e à raiva...

O controle do *ego* é a melhor maneira para afugentar o medo, evitando que se transforme em pânico.

Em face dos muitos mecanismos a que recorre, para poupar-se ao medo, a tudo que produza sofrimento, o ser humano é impulsionado a evitar o amor, justificando que nunca é amado, sendo-lhe sempre exigido amar.

Todos anelam pelo amor, entretanto, por imaturidade, não têm conhecimento do que é o mesmo, assim incorrendo no perigo de ter medo de amar.

Amor, Imbatível Amor

Acredita, aquele que assim procede, que amando se vincula, passa a depender e recebe em troca o abandono, a indiferença, que lhe constituem perigosas ameaças à *segurança* no castelo do *ego*, no qual se isola, perdendo as excelentes oportunidades para conseguir uma vida de plenificação.

Esse amor condicional, de troca, egotista – *eu somente amarei* se ou quando; *eu amo* porque – tem suas raízes fincadas na insegurança afetiva, infantil, perturbadora, que não foi completada pela presença da ternura nem da espontaneidade. Assim ocorria antes como forma compensatória a algum interesse não atendido, como referencial a algum objetivo em aberto, produzindo desconfiança a respeito do amor, que remanesce incompleto, temeroso.

O medo de amar escamoteia-se e leva à solidão angustiante, que projeta o conflito como de responsabilidade das demais pessoas, do meio social que é considerado agressivo e insano, fatores esses que existem no imo daquele que se recusa inconscientemente a dar-se, ao inefável prazer de libertar as emoções retidas.

O amor relaxa e conforta, sendo felicitador e proporcionando compensação em forma de prazer.

É o sentimento mais complexo e mais simples que predomina no ser humano, ainda tímido em relação às suas incontáveis possibilidades, desconhecedor dos seus maravilhosos recursos de relacionamento e bem-estar, de estimulação à vida e a todos os seus mecanismos.

O amor liberta quem o oferece, tanto quanto aquele a quem é direcionado, e se isso não sucede, não atingiu o seu grau superior, estando nas fases das trocas afetivas, dos interesses sexuais, dos objetivos sociais, das necessidades psicológicas, dos desejos... Certamente são fases que antecedem o momento culminante, quando enriquece e apazigua todas as ansiedades.

De qualquer forma, porém, amar é impositivo da evolução e psicoterapia de urgência, que se torna indispensável ao equilíbrio do comportamento das criaturas.

Expressando prazer de viver, o amor irradia-se de acordo com o nível de consciência de cada ser ou conforme o seu grau de conhecimento intelectual.

Todo o empenho para superar o medo de amar deve ser aplicado pelo ser humano, que realmente pretende o autoencontro, a harmonia interior.

AFEIÇÕES E CONFLITOS

Quando os conflitos interiores não se encontram solucionados e a imaturidade predomina no comportamento psicológico do ser, a sua afetividade é instável, perturbada, exigente, nunca se completando.

Ninguém consegue viver sem afeição. E quando isso ocorre, expressa algum tipo de psicopatologia, porquanto o sentimento da afetividade é o veio aurífero de enriquecimento da criatura psicológica. Sem esse sentido da vida, ocorre uma hipertrofia de valores emocionais e o indivíduo em desarmonia, degenera.

A afeição é inata ao ser humano, como o instinto que alcança um patamar mais elevado no seu processo de desenvolvimento de valores inatos, podendo-se perder, mesmo embrionariamente, nas expressões de diversos animais, na sua maternidade, na defesa das crias, nas *brincadeiras* e *jogos* que se permitem. Momentos surgem nos quais se tem ideia de que pensam e se ajudam. Posteriormente, esse instinto

Amor, Imbatível Amor

cresce e adquire maior soma de sensibilidade, quando identifica pelo odor aquele que o cuida, nota-lhe a ausência, sofre-a e, às vezes, deperece até a morte por inanição, negando-se ao alimento, em razão da morte daquele que o cuidava e a quem se ligava...

No ser humano, mais desenvolvido molecularmente, portador de um sistema nervoso mais avançado, surge como afetividade, a princípio atormentada, insegura, exigente, depois calma, produtiva e compensadora.

Porque permanece em conflitos consigo mesmo, o ser que transita na inquietação não se permite afeição alguma, nem se doando, nem a aceitando de outrem, em face da insegurança em que se encontra, por desconfiança de que essa afeição se expresse como forma de sentimentos inconfessáveis, ou porque se lhe deseja explorar.

Vitimado por não confessável complexo de inferioridade, em que se compraz, não acredita merecer afeição, ampliando a área dos conflitos e abrindo espaço para vinculação terrível com *parasitas espirituais*, que se transformam em estados obsessivos de larga duração.

Qualquer indivíduo merece afeição e deve esforçar-se por desenvolvê-la e experienciá-la. Trabalhando-se interiormente, reflexionando em torno dos direitos e valores que todos possuem ante a Vida, reformula planos mentais e dá-se conta de que é portador de um tesouro de ternura ainda submersa no *ego*, que é capaz de expandi-la e digno de a receber também. Quando isso não se lhe faz possível, o auxílio de um psicólogo ou de um psicanalista é valioso, ou mesmo de um grupo social de ajuda, porque, de alguma forma, quase todas as pessoas possuem conflitos semelhantes, que variam apenas na forma de expressar-se.

Muitos fatores perinatais e da infância predominam na área dos conflitos e da desafeição. São registros que não foram *digeridos*, nem consciente nem inconscientemente, remanescendo como trauma de solidão, de desamor, de rejeição, de decepção dos pais e do instituto familiar ou meio social, ou mesmo heranças genéticas, que agora se manifestam em isolacionismo, em censuras doentias, em autoflagelações dolorosas quão injustificáveis.

A afeição dá sentido à existência humana, facultando-lhe a luta otimista, o esforço continuado, o interesse permanente, a conquista de novos valores para progredir e enobrecer-se. Não é tanto a condição moral que a estimula, senão o objetivo que se tem a seu respeito, que desenvolve o sentimento moral. Quando isso não ocorre, surgem o fanatismo de qualquer expressão, o mascaramento de natureza moral, em processos psicológicos de transferência, que aparecem como puritanismo, exigência descabida de valores éticos e uma insuportável conduta de aparência que está longe da realidade interior.

Ela tem início em um sentido de carinho que se expande e enlaça os seres sencientes, aumentando até o encontro com a criatura humana, que igualmente necessita de afeto e pode retribuí-lo, em intercâmbio que dignifica e dá significado à existência.

Quando escasseia a afetividade, o que se deriva de conflitos anteriores, pode a criatura esforçar-se por buscar objetivos, senão no presente, pelo menos no futuro.

Fixando alguma coisa ou pessoa que desperte interesse ou alguma forma de simpatia, que se transformará em afeição com o decorrer do tempo, liberando-se da algidez emocional, passa a fixar-se nos acontecimentos do passado e procura deles desvencilhar-se; assinalado, no entanto, pelo trauma que o esmaga, lutará, agora que possui motivação para continuar a viver, com insistente tenacidade, a fim de libertar-se de tudo que lhe é perturbador.

A logoterapia, proposta por Viktor Frankl, convoca o ser para projetar-se no futuro, nas possibilidades ainda não exploradas, que são um manancial inesgotável de recursos que aguardam oportunidade para manifestar-se.

"– Que meta poderia alguém acalentar em um campo de concentração, de trabalhos forçados e de extermínio sistemático – interroga o logoterapeuta – para superar a depressão e encontrar objetivo para lutar, para viver?"

Ele próprio responde: "– Projetá-lo no futuro. Descobrir se alguma coisa o aguarda, quando sair do campo: um filho, uma esposa, um sentimento de arte, de cultura, algum projeto interrompido!".

E conclui, confortavelmente: "– Quase todos os internados tinham algo que fazer, que terminar, nem que fosse denunciar a crueldade assassina dos seus algozes, a indiferença da cultura e da civilização com o destino que lhes havia sido reservado, por motivo nenhum, como se houvesse algum motivo que tornasse o ser humano bestial e tão perverso."

Aqueles carcereiros impiedosos haviam destruído o próprio sentimento de humanidade e converteram-se em sicários, tornando as demais criaturas que lhes caíam nas mãos, apenas um número que não lhes significava nada e que lhes proporcionava o prazer de os esmagar, de destruir-lhes a alma, o valor, coisificando-as, zerando-as. Não obstante, eram pais e mães gentis, quando retornavam aos lares, bons vizinhos e afáveis cidadãos, com as exceções compreensíveis...

A crueldade mais acerba, todavia, se manifestava, em forma patológica de ausência de afeição nos guardas recrutados entre os próprios prisioneiros, que se faziam verdugos implacáveis, buscando sobreviver, desfrutar de alguns favores e concessões dos seus perseguidores.

Os conflitos malcontrolados levam o indivíduo à crueldade, à total insensibilidade, por sentir-se desconfortado em si mesmo, transferindo o rancor da própria situação contra aqueles que acredita felizes e os fazem invejá-los.

Mediante a conquista da afetividade, lenta e seguramente, são superados os conflitos perturbadores, abrindo-se os braços, a princípio, à solidariedade, depois ao cumprimento dos deveres de fraternidade, que levam ao amor.

Os sinais evidentes de uma existência e de um ser normais são os pródromos do desabrochar da afetividade tranquila, que se desenvolve estimulando à luta, ao crescimento interior.

3
FUGAS E REALIDADE

HEDONISMO • O EU E A ILUSÃO • DUALIDADE DO BEM
E DO MAL • A BUSCA DA REALIZAÇÃO

Graças ao processo da individualização do ser, superando as etapas primárias, na fase animal, o predomínio do *ego* desempenhou papel de primordial importância, trabalhando-o para vencer o meio hostil e os demais espécimes, usando a inteligência e o raciocínio como forças que o tornavam *superior*, deixando os remanescentes da falsa condição de dominador do meio ambiente e de tudo quanto o cerca.

Como consequência, passou a acreditar que também poderia dominar o corpo, estabelecendo suas metas sem lembrar-se da transitoriedade e da fragilidade da maquinaria orgânica.

Impossibilitado de governá-lo, quanto gostaria, já que o organismo tem as suas próprias leis, que independem da consciência, como a respiração, a circulação, a digestão, a assimilação e outras, esses fenômenos ferem-lhe o egotismo e levam-no, não raro, a estados depressivos perturbadores.

A mente, encarregada de proceder ao comando, experimenta então um choque com os equipamentos que direciona, em razão de ser metafísica, enquanto esses são de estrutura física, portanto, ponderáveis.

Ante a impossibilidade de exercer o seu predomínio total sobre o corpo, o *ego* estabelece mecanismos patológicos inconscientes de depressão, desejando extinguir aquilo que o impede de governar soberano. Trata-se de uma forma de autopunição, porquanto, dessa maneira, se realiza interiormente. Como, porém, a mente não depende do corpo, quando este sobrevive à patologia autodestrutiva, o *ego* esmaece e abrem-se perspectivas de ampliação dos sentimentos, como altruísmo, fraternidade, interesse pelos demais.

O egoísmo é invejoso, porque aspirando a tudo para si, lamenta o *prejuízo* de não conseguir quanto gostaria de deter, e por isso, inveja o corpo que não se lhe submete, preferindo *matá-lo*, na insânia em que se debate.

Lutar pela sobrevivência é tarefa específica da mente, entre outras, com objetivo essencial de tudo empenhar por consegui-lo. Por isso, logra superar as injunções egotistas e ampliar o sentido e o significado da vida.

O ser humano está fadado à glória solar, acima das vicissitudes, às quais se encontra submetido momentaneamente, como resultado do seu processo evolutivo, que o domina em *couraças*, de que se libertará, a pouco e pouco, utilizando-se dos recursos bioenergéticos e outros que as modernas *ciências da alma* lhe colocam ao alcance, ajudando-o no crescimento interior e na conquista do *Self.*

HEDONISMO

O conceito de hedonismo tem-se desdobrado em variantes através dos séculos. Criado, originariamente, para facultar o processo filosófico da busca do prazer, hoje se apresenta, do ponto de vista psiquiátrico, como uma expressão psicopatológica, por significar apenas o gozo físico, abrasador, incessante, finalidade única da existência humana, essencialmente egotista.

Tal conceito surgiu com o discípulo de Sócrates, Aristipo de Cirene, por volta do século V a. C., e foi consolidado por seus seguidores.

A finalidade única reservada ao ser humano, sob a óptica hedonista, era o prazer individual.

Na atualidade, consideram-se duas vertentes no hedonismo: a primeira, denominada *psicológica* ou *antiga*, que tem como meta o prazer como o último fim, constituindo uma realidade psicológica positiva, gratificante; e a *ética* ou *moderna,* que elucida não procurarem as criaturas atuais sempre e somente o prazer pessoal, mas que se devem dedicar a encontrar e conseguir aquele que é o prazer maior para si mesmas e para a Humanidade.

A tendência do ser humano, todavia, é a busca do que agrada de imediato, em razão do atavismo remanescente da posse, da dominação sobre o espécime mais fraco, que se lhe submete servilmente, proporcionando o gozo da falsa superioridade.

Nesse comportamento, a libido predomina, estabelecendo a meta próxima, que se converte na autorrealização pelo atendimento ao desejo.

O desejo é fator de tormento, porquanto se manifesta com predominância de interesse, substituindo todos os demais valores, como primacial, após o que, atendido, abre perspectivas a novos anseios.

Nesse capítulo, o desejo de natureza lasciva, fortemente vinculado ao sexo, atormenta, dando surgimento a patologias várias, que necessitam de assistência terapêutica especializada.

Noutras vezes, as frustrações interiores impõem alteração de conduta, dando origem ao desejo do poder, da glória, da conquista de valores amoedados, na vã ilusão de que essas aquisições realizam o seu possuidor. A realidade, no entanto, surge mais decepcionante, o que produz, às vezes, estados depressivos ou de violência, que irrompem sutilmente ou voluptuosos.

São algumas dessas ocorrências psicológicas que dão surgimento aos ditadores, aos dominadores arbitrários de pessoas e de grupos humanos, aos criminosos hediondos, aos perseguidores implacáveis, a expressivo número de infelicitadores dos outros, porque infelizes eles próprios. No íntimo, subconscientemente, está a busca hedonista, impositiva, egoica, sem nenhuma abertura para o conjunto social, para a comunidade ou para si mesmos através das expressões de afeto e de doação, de carinho e bondade, que são valores de alto conteúdo terapêutico.

O hedonista vê-se apenas a si mesmo, aturdindo-se na insatisfação que acompanha o prazer, porquanto jamais se torna pleno. A ânsia do prazer é tão incontrolável quão intérmina. Conseguido um, outro surge, numa sucessão desenfreada.

Quando a consciência do dever estabelece os paradigmas da autoconquista, o prazer se transfere de significado, adquirindo outro sentido, que é de legitimidade para a harmonia do ser psicológico, exteriorizando-se em serviço, elevação interior, realizações perenes. Arrebenta as amarras do *ego* e abre as asas para o ser profundo poder expandir-se, voando em direção do Infinito.

Amor, Imbatível Amor

O prazer de ajudar transforma o indivíduo em um ser progressista, idealista, que se realiza mediante a construção da felicidade em outrem, sem qualquer forma de fuga da sua própria realidade.

Nessa fase experimental da saída do *ego* e de sua superação, novos prazeres passam a ocupar os estados emocionais: a visão das paisagens irisadas de Sol e ricas de beleza, o encantamento que o mundo oferece, a alegria de estar *vivo*, o sentido de utilidade que experimenta, a empatia que decorre dos valores que vão sendo descobertos, contribuindo para o autoencontro, para o significado existencial.

A busca do prazer, portanto, é parte essencial dos desafios psicológicos existenciais, desde que seja direcionada para aqueles que propõem libertação, conquista de paz, realização interior.

O altruísmo é o antídoto, a terapia mais valiosa para a superação do estágio hedonista da evolução do ser.

O Eu e a ilusão

A trajetória de predominância do *ego* no ser é larga. A descoberta do Eu profundo, do ser real, da individuação é, por consequência, mais difícil, mais sacrificial, exigindo todo o empenho e dedicação para ser lograda.

Vivendo em um mundo físico, no qual a ilusão da forma confunde a realidade, o que parece tem predomínio sobre o que é, o visível e o temporal dominam os sentidos, em detrimento do não visível e do atemporal, jungindo o ser à projeção, com prejuízo para o que é real, e é compreensível que haja engano na eleição do total em detrimento do incompleto.

Esse conflito – parecer e ser – responde pelos equívocos existenciais, que dão preferência ao que fere os sentidos, substituindo as emoções da alma, além das estruturas orgânicas. Estabelece-se, então, a prevalência da ilusão derivada do sensorial que a tudo comanda, no campo das formas, desempenhando finalidade dominante em quase todos os aspectos da vida.

Submerso no oceano da matéria, o ser profundo – o Eu –, encontrando-se em período de imaturidade psicológica, deixa-se conduzir pelo exterior, supondo-se diante da realidade, sem dar-se conta da mobilidade e estrutura de todas as coisas na sua constituição molecular.

O campo das formas responde pela ilusão dos sentidos, que se prolongam pelos delicados equipamentos emocionais, dando curso a aspirações, desejos e comportamentos.

A ilusão, no entanto, é efêmera, quanto tudo que se expressa de maneira temporal. A própria fugacidade do tempo, como medida representativa e dimensional da experiência física, trai o ser psicológico, cujo espaço ilimitado necessita de outro parâmetro ou coordenada que, ao lado de outra coordenada espacial, faculta a identificação univocamente de um fato ou ocorrência.

O ser psicológico movimenta-se em liberdade, podendo viver o passado no presente, o presente no momento e o futuro, conforme a projeção dos anseios, igualmente na atualidade. As dimensões temporais cedem-lhe lugar às fixações emocionais, responsáveis pela conduta do Eu profundo.

Em face dessa distonia entre o tempo físico e o emocional, cria-se a ilusão que se incorpora como necessidade de vivência imediata, primordial para a vida, sem o que o significado existencial deixa de ter importância.

Amor, Imbatível Amor

A escala de valores do indivíduo está submetida à relatividade do conceito que mantém em torno do que anela e crê ser-lhe indispensável. Enquanto não aprofunda o sentido da realidade, a fim de identificar-lhe os conteúdos, todos os espaços mentais e emocionais permanecem propícios aos anseios da ilusão.

É ilusória a existência física, apertada na breve dimensão temporal do berço ao túmulo, de um início e um fim, de uma aglutinação e uma destruição de moléculas, retornando ao caos de onde se teria originado, fazendo que o sentido para o Eu profundo seja destituído de uma qualificação de permanência. Como efeito mais imediato, a ilusão do gozo se apropria do espaço-tempo de que dispõe, estabelecendo premissas falsas e gozos igualmente enganosos.

A dilatação do processo existencial, começando antes do berço e prosseguindo Além do túmulo, oferece objetivos ampliados, que se eternizam, proporcionando contentos satisfatórios que se transformam em realizações espirituais de valorização da vida em todos os seus atributos.

O ser humano não mais se apresenta como uma constituição de partículas que formam um corpo, no qual equipamentos eletrônicos de alta procedência reúnem-se casualmente para formar a estrutura humana, o seu pensamento, suas emoções, tendências, aspirações e acontecimentos morais, sociais, econômicos, orgânicos...

Essa visão do ser profundo desarticula as engrenagens falsas da fatalidade, do destino infeliz, das tragédias do cotidiano, dos acontecimentos fortuitos que respondem pela sorte e pela desgraça, dos absurdos e funestos sucessos existenciais.

Abre perspectivas para a autoelaboração de valores significativos para a felicidade, oferecendo estímulos para mudar o *destino* a cada momento, alterar as situações desastrosas por intermédio de disciplinas psíquicas, portanto, igualmente comportamentais, superando as ilusões fastidiosas e rumando na direção da realidade permanente à qual se encontra submetido.

Certamente, os prazeres e divertimentos, os jogos afetivos – quando não danosos para os outros, gerando-lhes lesões na *alma* –, as buscas de metas próximas que dão sabor à existência terrena, devem fazer parte do *cardápio* das procuras humanas, nesse inter-relacionamento pessoal e comportamental que enriquece psicologicamente o ser profundo.

O fato de expressar-se como condição de indestrutibilidade não o impede de vivenciar as alegrias transitórias das sensações e das emoções de cada momento. Afinal, o tempo é feito de momentos, convencionalmente denominados passado, presente e futuro.

Qualquer castração no que diz respeito à busca de satisfações orgânicas e emocionais produz distúrbio nos conteúdos da vida. No entanto, o apego exagerado, a ininterrupta volúpia por novos gozos, a incompletude produzem, por sua vez, outra ordem de transtornos que atormentam o ser, impedindo-o de crescer e desenvolver as metas para as quais se encontra corporificado na Terra.

Diversos estudiosos da *psique* humana atribuem ao conceito de imortalidade do ser uma proposta ilusória, necessária para o seu comportamento, a partir do momento em que se liberta do pai biológico, transferindo os seus conflitos e temores para Deus, o Pai Eterno. Herança do primarismo tribal, esse temor se tornaria prevalecente na conduta imatura,

Amor, Imbatível Amor

que teria necessidade desse suporte para afirmação e desenvolvimento da personalidade, como para a própria segurança psicológica. Como consequência, atribuem tudo ao caos do princípio, antes do tempo e do espaço einsteiniano.

Se considerarmos esse caos como de natureza organizadora, programadora, pensante, anuímos completamente com a tese da origem das formas no Universo. Se, no entanto, lhe atribuirmos condição fortuita e impensada dos acontecimentos, somos levados ao absurdo da aceitação de um nada gerar tudo, de uma desordem estabelecer equilíbrio, de um desastre de coisa nenhuma – por inexistir qualquer coisa – dar origem à grandeza das galáxias e à harmonia das micropartículas, para não devanearmos poeticamente pela beleza e delicadeza de uma pétala de rosa perfumada ou a leveza de uma borboleta flutuando nos rios da brisa suave, ou das estruturas do músculo cardíaco, dos neurônios cerebrais...

A Vida tem sua causalidade em si mesma, pensante e atuante, que convida a reflexões demoradas e qualitativas, propondo raciocínios cuidadosos, a fim de não se perder em complexidades desnecessárias. Por efeito, todos os seres sencientes, particularmente o humano, procedem de uma Fonte Geradora, realizando grandiosa viagem de retorno à sua Causa.

Os conflitos são heranças de experiências fracassadas, mal vividas, deixadas pelo caminho, por falta de conhecimento e de emoção, que se vão adquirindo etapa a etapa no processo dos renascimentos do Espírito – seu psiquismo eterno.

A ilusão resulta, igualmente, da falta de percepção e densidade de entendimento, que se vai esmaecendo e cedendo lugar à realidade, à medida que são conquistados novos patamares representativos das necessidades do progresso.

São essas necessidades – primárias, indispensáveis, essenciais – que estabelecem o *considerando* do psiquismo para a busca do que lhe parece fundamental e propiciador para a felicidade.

O Eu permanece, enquanto a ilusão transita e se transforma. Quanto hoje se apresenta essencial, algum tempo depois perde totalmente o valor, cedendo lugar a novas conquistas, que são, por sua vez, técnicas de aprendizagem, de crescimento, desde que não deixem na retaguarda marcas de sofrimento nem campos devastados pelas pragas das paixões primitivas.

Momento chega, a todos os seres em desenvolvimento psicológico, no qual se recorre à busca espiritual, à realização metafísica, superando-se a ilusão da carne, do tempo físico, assim se equilibrando interiormente para inundar-se de imortalidade consciente.

DUALIDADE DO BEM E DO MAL

Um velho *koan zen-budista* narra que um homem muito avarento recebeu, oportunamente, a visita de um mestre.

O sábio, depois de saudá-lo, perguntou-lhe: – *Se eu fechar a minha mão para sempre, não a abrindo nunca, como te parecerá?*

O avaro respondeu-lhe, sem titubear: – *Deformada.*

– *Muito bem* – prosseguiu o interlocutor –, *e se eu a abrir para sempre, como a verás?*

– *Igualmente deformada* – redarguiu o anfitrião.

O homem nobre concluiu, informando-o: – *Se entenderes isso, serás um rico feliz.*

Amor, Imbatível Amor

Depois que se foi, o anfitrião começou a meditar e, a partir daí, passou a repartir com os necessitados aquilo que lhe parecia excedente, tornando-se generoso.

Todos os opostos, afirma o antigo *koan*, bem e mal, ter e não ter, ganhar e perder, eu e os outros, dividem a mente. Quando são aceitos, afastam as pessoas da mente original, sucumbindo ao dualismo.

A sabedoria, concluiu a narração sintética, está no meio, no *Zen*, que é o caminho.

A dualidade sempre esteve presente no ser humano, desde o momento em que ele começou a pensar, desenvolvendo a capacidade de discernir. Os opostos têm-lhe constituído desafios para a consciência que deve eleger o que lhe é melhor, em detrimento daquilo que lhe é pernicioso, perturbador, gerador de conflitos.

Não poucas vezes, por imaturidade, toma decisões compulsivas e derrapa em estados de perturbação, demarcando fronteiras e evitando atravessá-las, assim perdendo contato com as possibilidades existentes em ambos os lados, que podem auxiliar na definição de rumos. Essa definição, no entanto, não pode ser cerceadora das vivências educativas, produtoras. Deve caracterizar-se pela eleição natural do roteiro a seguir, de maneira que nenhuma forma de tormento pelo não experimentado passe a gerar frustração.

A experiência ensina a conquistar os valores legítimos, aqueles que propiciam a evolução, facultando, na análise dos contrários, a opção pelo que constitui estímulo ao crescimento, sem que gere danos para o próprio indivíduo, para o meio onde se encontra, para outrem. Somente assim, é possível a aquisição do comportamento ideal, propiciador de paz, porque não traz, no seu bojo, qualquer proposta conflitiva.

Do ponto de vista ético, definem os dicionaristas, o bem é *a qualidade atribuída a ações e a obras humanas, que lhes confere um caráter moral. (Essa qualidade se anuncia através de fatores subjetivos – o sentimento de aprovação, o sentimento de dever – que levam à busca e à definição de um fundamento que os possa explicar).*

O mal é tudo aquilo que se apresenta negativo e de feição perniciosa, que deixa marcas perturbadoras e afligentes.

Na sua origem, o ser não possui a consciência do bem nem do mal. Vivendo sob a injunção do instinto, é levado a preservar a sobrevivência, a reprodução, atuando por automatismos, que irão abrindo-lhe espaços para os diferenciados patamares do conhecimento, do pensamento, da faculdade de discernir.

A seleção do que deve em relação ao que não deve realizar dá-se mediante a sensação da dor física, depois emocional, mais tarde de caráter moral, ascendendo na escala dos valores éticos. Percebe que nem tudo quanto lhe é lícito executar pode fazê-lo, assim realizando o que lhe é de melhor, no sentido de descobrir os resultados, porquanto aquilo que lhe é facultado, não poucas vezes fere os direitos do próximo, da vida em si mesma, quanto da sua realidade espiritual.

Essa percepção torna-se a presença da capacidade de eleger o bem em detrimento do mal. Faz-se a realidade livre da *sombra*; o avanço psicológico sem trauma, a ausência de retentivas na retaguarda.

Embora haja o bem social, o de natureza legal, aquele que muda de conceito conforme os valores éticos estabelecidos geográfica ou genericamente, paira, soberano, o bem transcendental, que o tempo não altera, as situações

Amor, Imbatível Amor

políticas não modificam, as circunstâncias não confundem. É aquele que está inscrito na consciência de todos os seres pensantes que, não obstante, muitas vezes, anestesiem-no, permanece e se impõe oportunamente, convidando o infrator à recomposição do equilíbrio, ao refazimento da ação.

O mal, remanescente dos *instintos agressivos*, predomina enquanto a razão deles não se liberta, sob a dominação arbitrária do *ego*, que elabora interesses hedonistas, pessoais, impondo-se em detrimento de todas as demais pessoas e circunstâncias.

O seu ferrete é tão especial que, à medida que fere quantos se lhe acercam, termina por dilacerar aquele que se lhe entrega ao domínio, tombando, exaurido, pelo caminho do seu falso triunfo.

O ser humano foi criado *à imagem de Deus*, isto é, fadado à perfeição, superando os impositivos do trânsito evolutivo, nessa marcha inexorável a que se encontra compelido.

Possuindo os atributos da beleza, da harmonia, da felicidade, do amor, deve romper, a pouco e pouco, a casca que o envolve – herança do período primário pelo qual tem que passar – a fim de desenvolver as aptidões adormecidas, que lhe servem temporariamente de obstáculo a esses tesouros imarcescíveis.

O bem pode ser personificado no amor, enquanto o mal pode ser apresentado como a sua ausência.

Tudo aquilo que promove e eleva o ser, aumentando-lhe a capacidade de viver em harmonia com a vida, prolongá-la, torná-la edificante, é expressão do bem. Entretanto, tudo quanto conspira contra a sua elevação, o seu crescimento e os valores éticos já logrados pela Humanidade, é o mal.

O mal, todavia, é de duração efêmera, porque resultado de uma etapa do processo evolutivo, enquanto o bem é a fatalidade última reservada a todos os indivíduos, que se não poderão furtar desse destino, mesmo quando o posterguem por algum tempo, jamais o conseguindo definitivamente.

Eis por que o ser tem a tendência inevitável de buscar o amor, de entregar-se-lhe, de fruí-lo.

Encarcerado no egoísmo e acostumado às buscas externas, recorre aos expedientes do prazer pessoal, em vãs tentativas de desfrutar as benesses que dele decorrem, tombando na exaustão dos sentidos ou na frustração dos engodos que se permite.

Oportunamente um aprendiz indagou ao seu mestre:

– *Dize-nos o que é o amor.*

E o sábio, após ligeira reflexão, redarguiu com um sorriso:

– *Nós somos o amor.*

Esse sentimento que temos todos os seres viventes expressa o Supremo Bem, que nos cumpre buscar, embora estejamos na faixa da libertação da ignorância, errando, ainda praticando o mal temporário por falta da experiência evolutiva, que nos junge às sensações, em detrimento das emoções superiores que alcançaremos.

Há uma tendência para a experiência do bem, em face da paz e da beleza interior que se experimenta, constituindo-se um grande desafio ao pensamento psicológico estabelecer realmente o que é de melhor para o ser humano, graças aos impositivos dos instintos que prometem gozo, enquanto a sua libertação, às vezes dolorosa, em catarse de lágrimas, proporciona plenitude.

Amor, Imbatível Amor

A terapia do bem – essa eleição dos valores éticos que propiciam paz de consciência – constitui proposta excelente para a área da saúde emocional e psíquica, consequentemente, também física dos seres humanos, que não deve ser desconsiderada.

À medida que se amplia o desenvolvimento psicológico, seu amadurecimento, são eliminadas as distâncias entre o Eu e os outros, superando o mal pelo bem natural, suas ações de fraternidade e de compreensão dos diferentes níveis de transição moral, compreendendo-se que o mal que a muitos aflige, por eles mesmos buscado, transforma-se na sua lição de vida.

Eis por que é necessária a terapia da realização edificante, produzindo sempre em favor de si mesmo, do próximo e do meio ambiente, evitando qualquer tentativa de destruição, de perturbação, de desequilíbrio.

Por isso, não realizar o bem é fazer-se a si mesmo um grande mal. Dificultar-se a ascensão, é forma de comprazer-se na vulgaridade, na desdita, assumindo um comportamento masoquista, no qual se sente valorizado.

Certamente, nem todos os indivíduos conseguem de imediato uma mudança de conduta mental, portanto, emocional, da patologia em que se encarceram, para viver a liberdade de ser feliz. Isso exige um esforço hercúleo que, normalmente, o paciente não envida. Acredita que a simples assistência psicológica irá resolver-lhe os estados interiores que o agradam, quase que a passo de mágica, transferindo para o psicoterapeuta a tarefa que lhe compete desenvolver.

Para esse cometimento, o do reequilíbrio, a assistência especializada é indispensável, somada à contribuição de um grupo de apoio e ao interesse dele próprio para conseguir a meta a que se propõe.

A religião bem orientada, pelo conteúdo psicológico de que se reveste, desempenha um papel de alta relevância em favor do equilíbrio de cada pessoa e, por extensão, do conjunto social no qual se encontra localizada.

A religião que se fundamenta, no entanto, na conduta científica de comprovação dos seus ensinamentos, que documenta a realidade do Espírito imortal e a sua transitoriedade nos acontecimentos do corpo, como é o caso do Espiritismo, melhores condições possui para auxiliá-la na escolha do caminho a trilhar com os próprios pés, propondo-lhe renovação interior e adesão natural aos princípios que promovem a vida, que a dignificam, portanto, que representam o bem.

Por outro lado, proporciona-lhe uma conduta responsável, esclarecendo-lhe que cada qual é responsável pelos atos que executa, sendo semeadora e colhedora de resultados, cabendo-lhe sempre enfrentar os desafios de superar-se, porque toda conquista valiosa é resultado do esforço daquele que a consegue. Nada existe que não haja sido resultado de laborioso esforço.

Ainda mais, faculta-lhe o entendimento de como funcionam as Leis da Vida, em cuja vigência todos os seres somos participantes, sem exceção, cada qual respondendo de acordo com o seu nível de consciência, o seu grau de pensamento, as suas intenções intelecto-morais.

Abre, ademais, um elenco de novas informações que a capacitam para a luta em prol da saúde, explicando-lhe que existe um intercâmbio mental e espiritual entre as criaturas

Amor, Imbatível Amor

que habitam os dois planos do mundo: o espiritual ou da energia pensante, e o físico ou da condensação material.

A morte do corpo, não extinguindo o ser, apenas altera-lhe a compleição molecular, mantendo-lhe, não obstante, os valores intrínsecos à sua individualidade, o que faculta, muitas vezes, o intercâmbio psíquico.

Quando se trata de alguém cuja existência foi pautada em ações elevadas, a influência é agradável, rica de saúde e de harmonia. Quando, porém, foi negativa, inquieta ou doentia, perturbada ou insatisfeita, transmite desarmonia, enfermidades, depressões e alucinações cruéis, que passam a constituir psicopatologias de classificação muito complexa, na área das obsessões espirituais, e de libertação demorada, que exigem muito esforço e tenacidade nos propósitos em favor da recuperação da saúde.

O bem, portanto, é o grande antídoto a esse mal, como o é também para quaisquer outros estados perturbadores e traumáticos da personalidade humana.

Outrossim, a experiência do bem se dará plena após o trânsito pelas ocorrências do mal, os insucessos, as perturbações, as reações emocionais conflitivas, que facultam o natural selecionar dos comportamentos agradáveis, tranquilos, que validam o esforço de haver-se optado pelo que é saudável. Caso contrário, a aquisição positiva não se faz total, porque será mais o resultado de repressão aos instintos do que superação deles, graças ao que se pode adquirir virtudes – sentimentos bons, conquistas do bem –, no entanto, perder-se a integridade, a naturalidade do processo de elevação. A pessoa torna-se frustrada por não haver enfrentado as lutas convencionais, evitando-as, ocasionando um sentimento de culpa, que é, por sua vez, uma oposição à proposta encetada para a vida correta.

A experiência do bem e do mal começa na infância diante das atitudes dos pais e dos demais familiares. Por temor a criança obedece, porém, não compreende o que é certo e aquilo que é errado, que lhe querem incutir os genitores, muitas vezes por imposição, sem o esclarecimento correspondente para a análise lenta e a assimilação da razão.

Se a criança não consegue entender aquilo que lhe é ministrado e exigido, passa a aceitar a informação por medo de punição, até o momento em que se liberta da imposição, transformando o sentimento em culpa, e temendo reagir pelo ódio ou pelo ressentimento, ou, noutras situações, reprimindo-se, tomba na depressão. O inconsciente, utilizando-se do mecanismo de preservação do *ego*, resolve aceitar o que foi ministrado, passando a insuflar a conduta reta, no entanto, em forma de máscara que oculta a realidade reprimida.

A conquista paulatina do bem produz equilíbrio e segurança, eliminando as armadilhas do *ego*, que mais tem interesse em promover-se do que em ser substituído pelo valor novo, inabitual no seu comportamento.

Por isso mesmo, o bem não pode ser repressor, o que é mal, porém, libertador de tudo quanto submete, se impõe, aflige. A sua dominação é suave, não constritora, porque passa a ser uma diferente expressão de conduta moral e emocional, dando prosseguimento à assimilação dos valores que foram propostos no período infantil, e que constituem reminiscências agradáveis que ajudam nos procedimentos dos diferentes períodos existenciais, na juventude, na idade adulta, na velhice.

Amor, Imbatível Amor

Em razão disso, torna-se mais difícil a assimilação e incorporação dos valores do bem em um adulto aclimatado à agressão, às lutas, nas quais predominou o mal, houve a sua vitória, os resultados prazerosos do *ego*, a vitalização dos comportamentos esmagadores que geraram heróis e poderosos, mas que não escaparam das áreas dos conflitos por onde continuam transitando.

Somente através da renovação de valores desde cedo é que o bem triunfará nas criaturas.

Quando adultas, o labor é mais demorado, porque terá que substituir as constrições do *ego* e, através da reflexão, dos exercícios de meditação e avaliação da conduta, substituir os hábitos enraizados por novos comportamentos compensadores para o Eu superior.

Eis por que se pode afirmar que o bem faz muito bem, enquanto o mal faz muito mal. A simples mudança, portanto, de atitude mental do indivíduo enseja-lhe o encontro com o bem que irá desenvolver-lhe os sentimentos profundos da sua *semelhança com Deus*.

A BUSCA DA REALIZAÇÃO

A infância, construtora da vida psicológica do ser humano, deve ser experienciada com amor e em clima de harmonia, a fim de modelá-lo para todos os futuros dias da jornada terrestre.

Os sinais das vivências insculpem-se no inconsciente com vigor, passando a escrever páginas que não se apagam, quase sempre revivendo os episódios que desencadeiam os comportamentos nos vários períodos por onde transita. Quando são agradáveis as impressões decorrentes dos momentos felizes, passam a fazer parte da autorrealização, contribuindo poderosamente para o despertar do Si profundo, que vence as barreiras impeditivas colocadas pelo *ego*. Se negativas, perturbam o desenvolvimento dos valores éticos e comportamentais, gerando patologias psicológicas avassaladoras, que se expressam mediante um *ego* dominador, violento, agressivo, ou débil, pusilânime, dúbio, pessimista, depressivo.

Essas marcas são quase que impossíveis de ser *apagadas* do inconsciente atual, qual aconteceria com a mossa provocada por uma pressão ou golpe sob superfície delicada que, por mais corrigida, sempre permanece, mesmo que pouco perceptível.

A busca da realização pessoal deve iniciar-se na autossuperação, mediante vigorosa autoanálise das necessidades reais relacionadas com as aparentes, aquelas que são dominadoras no *ego* e não têm valor real, quase nunca ultrapassando exigências e caprichos da imaturidade psicológica.

Para o cometimento, são necessárias as progressivas regressões aos diferentes períodos vividos da juventude e da infância, até mesmo à fase de recém-nascido, quando o *Self* verdadeiro foi substituído pelo *ego* artificial e dominador. Foi nessa fase que a *inocência* infantil foi substituída pelo sentimento de culpa, em razão da natural imposição dos pais, no lar, e, por extensão, dos adultos em geral em toda parte. Mais tarde, identificando-se errada, em razão de não haver conseguido modificar os pais nem vencer a *teimosia* dos adultos, *mascara-se* de feliz, de virtuosa, perdendo a integridade interior, a pureza, aprendendo a parecer o que a todos agrada em vez de ser aquilo que realmente é no seu mundo interior.

Amor, Imbatível Amor

Esse trabalho de progressão regressiva que se pode lograr mediante conveniente terapia é muito doloroso, porque o paciente se recusa inconscientemente a aceitar os erros, como forma de defesa do *ego* e, por outro lado, por medo do enfrentamento com todos esses medos aparentemente adormecidos. O seu despertar assusta, porque conduz a novas vivências desagradáveis. O *ego*, no seu castelo, conseguiu mecanismos de defesa e domina soberano, reprimindo os sentimentos e disfarçando os conflitos, porquanto *sabe* que a liberação desses estados interiores pode levar à agressividade ou ao mergulho nas fugas espetaculares da depressão.

Todos os indivíduos, de alguma forma, sentem-se desamparados em relação aos fatores que regem a vida: os fenômenos do automatismo fisiológico, o medo da doença insuspeita, da morte, do desaparecimento de pessoas queridas, as incertezas do destino, os fatores mesológicos, como tempestades, terremotos, erupções vulcânicas, acidentes, guerras... De algum modo, essa sensação de insegurança, de desamparo provém da infância – ou de outras existências –, quando se sentiu dominado, sem opção, sujeito aos impositivos que lhe eram apresentados, fazendo que o amor fosse retirado do *cardápio* existencial.

Tal sentimento contribui para a análise do problema da sobrevivência, que é o mais importante, ainda não solucionado no inconsciente.

Eis por que é necessário liberar esses conflitos perturbadores, reprimidos, para que a criança inocente, pura, no sentido psicológico, bem se depreende, volte a viver integralmente.

Inicia-se, então, o maravilhoso processo de terapia para a busca da realização. Sob o controle do terapeuta, esse direcionamento se orienta para a criatividade, por meio da qual o paciente expressa um tipo de sentimento, mas vive noutra situação. Essas emoções antagônicas devem ser trabalhadas pelo técnico, para depois serem vividas pelo indivíduo, que passa a permitir que tudo aconteça naturalmente sem novas pressões, nem castrações, nem dissimulações. Passa a eliminar a raiva reprimida, que é direcionada contra objetos *mortos*, sem caráter destrutivo; a angústia pode expressar-se, porque sabe estar sob assistência e contar com alguém que ouve e entende o conflito.

Posteriormente, o paciente se transforma no seu próprio terapeuta, no dia a dia, por ser quem controlará os sentimentos desordenados, e, mediante a criatividade, começa a substituir o que sente no momento pelo que gostaria de conquistar, transferindo-se de patamar mental-emocional até alcançar a realização pessoal.

Nesse processo surgem a liberação das tensões musculares, a identificação com o corpo no qual se movimenta e que passa a exercer conscientemente uma função de grande importância no seu comportamento, movendo-se de forma adequada.

A seguir, identifica a necessidade de experimentar prazeres, sem a consciência de culpa que as religiões ortodoxas castradoras lhe impuseram, transferindo-se das províncias da dor – como necessidade de sublimação – para o prazer agradável, renovador, que não subjuga nem produz ansiedade. O simples fato de reconhecer a necessidade que tem de experimentar o prazer sem culpa auxilia-o no amor ao corpo, na movimentação dos músculos, eliminando as tensões físicas, derivadas daqueloutras de natureza emocional, assim

Amor, Imbatível Amor

aprendendo a viver integralmente, a conquistar a realização pessoal.

É indispensável também aceitar-se, compreender que os seus sentimentos são resultado das aquisições intelecto--morais do processo evolutivo no qual se encontra situado. Sem a perfeita compreensão-aceitação dos próprios sentimentos, é muito difícil, senão improvável, a conquista da realização. Naturalmente terá que se empenhar para superar os sentimentos depressivos, excessivamente emotivos e perturbadores ou indiferentes e frios, de forma que a valorização de si mesmo faça parte do seu esquema de crescimento interior, o que lhe facultará alcançar as metas estabelecidas.

Por outro lado, a identificação da própria fragilidade leva-o a uma atitude de humildade perante a vida e a si mesmo, porque percebe que o ser psicológico está profundamente vinculado ao fisiológico e vice-versa. Misturam-se as funções em determinado momento de consciência, quando percebe que algumas tensões musculares e diversas dores físicas são consequência daquelas de natureza psicológica, ou, por sua vez, estas últimas têm muito a ver com a *couraça* que restringe os movimentos e os entorpece.

De fundamental importância também a constatação e a aceitação da necessidade da humildade, que o ajuda a descobrir-se sem qualquer presunção nem medo dos desafios, enfrentando os fatores existenciais com naturalidade e autoconfiança, não extrapolando o próprio valor nem o subestimando. Essa humildade dar-lhe-á forças para ampliar o quadro de relacionamento interpessoal, de auxiliar na fraternidade, percebendo que a sua individualidade não pode viver plena sem a comunidade de que faz parte e deve trabalhá-la para auxiliá-la no seu progresso.

Com a humildade, o indivíduo descobre-se *criança,* e essa verificação representa conquista de maturidade psicológica, que lhe faculta liberar esses sentimentos pertencentes ao período mágico da infância.

Jesus, na sua condição de Psicoterapeuta por excelência, demonstrou que era necessário volver a essa fase de pureza, de dependência, no bom sentido, de humildade, quando enunciou, peremptório: *...Se não vos fizerdes como crianças, de modo algum entrareis no Reino dos Céus. Quem, pois, se tornar humilde como uma criança, esse será maior no Reino dos Céus.*[1]

O enunciado, do ponto de vista psicológico, apela para a autorrealização, a penetração no Reino dos Céus da consciência reta e sem mácula, assinalada pelos ideais de dignificação humana.

A criança é curiosa, espontânea, alegre, sem aridez, rica de esperanças, motivadora, razão de outras vidas que nas suas existências se enriquecem e encontram sentido para viver.

A busca da realização conduz o indivíduo ao crescimento moral e espiritual sem culpa ante as imposições da organização fisiológica, que lhe propõe o prazer para a própria sobrevivência e faz parte ativa da realidade social que deve constituir motivo de estímulo para a vitória sobre o egoísmo e as paixões perturbadoras.

---

1. Mateus, 18:3 e 4 (nota da autora espiritual).

4

MECANISMOS CONFLITIVOS

FERIDAS E CICATRIZES DA INFÂNCIA • INSEGURANÇA E
ARREPENDIMENTO • NOSTALGIA E DEPRESSÃO
• EXISTÊNCIAS FRAGMENTADAS

Nos mecanismos do comportamento humano há um destaque especial para o prazer, que faz parte do processo da evolução. A busca do prazer, nunca é demais insistir no assunto, constitui estímulo vigoroso para a luta. Em face disso, quando algo inesperado e desagradável acontece, logo as pessoas afirmam que não têm nenhuma razão para viver, somente porque um insucesso, que talvez as amadureça mais, despertando-as para outras realidades, lhes aconteceu, tisnando-lhes a capacidade de discernimento para a eleição entre o verdadeiro e o falso.

Normalmente se estabelece que vida feliz é aquela que apresenta as criaturas sorridentes, bem-dispostas, com expressão donairosa, destacadas no grupo social, mas que, além da máscara afivelada na face, conduzem sofrimentos, inseguranças, incertezas sobre si mesmas e aqueles que as cercam.

A busca do prazer, em razão das necessidades mais imediatas e dos gozos mais fortes, tem sido dirigida para os divertimentos: os alcoólicos, o sexo, o tabaco, quando não as drogas aditivas e perturbadoras. Esses *ingredientes* levam a diversões variadas, extravagantes, fortes, mas não ao verdadeiro prazer, que pode ser encontrado em uma boa leitura, em uma paisagem repousante, em uma convivência relaxadora, em uma caminhada tranquila ou em um *jogging*, em um momento de reflexão, de prece, numa ação de socorro fraternal, em uma recepção no lar proporcionada a alguém querido ou simplesmente a um convidado a quem se deseja distinguir... Há incontáveis formas de prazer não necessariamente fortes, que se transformam em sensações que exaurem e exigem repouso para o refazimento.

O prazer deve dilatar-se no sistema emocional, continuando a proporcionar bem-estar, mesmo depois do acontecimento que o desencadeia.

O divertimento tem duração efêmera: vale enquanto é fruído, logo desaparecendo, para dar lugar a novas buscas.

Algo que parece uma conquista ideal tem o valor essencial do esforço pelo conseguir, deixando certo travo de insatisfação após logrado.

Como consequência, há uma grande necessidade de parecer-se divertido, o que sinaliza como ser ditoso, triunfante no grupo social.

Os divertimentos, nem sempre prazeres legítimos, multiplicam-se até as extravagâncias e aberrações, violências e agressividades, para substituírem o fastio que os sucede, em razão de não poderem preencher as necessidades de bem-estar, que são as realmente buscadas.

Roma imperial, que também se notabilizou pela busca de divertimentos contínuos, passou dos jogos gregos, que foram importados, para as lutas de gladiadores, nas quais o vencido era apenas humilhado na sua força até a exigência de sua vida, quando sucumbia despedaçado, enquanto os diletantes sorriam, aplaudindo freneticamente os vitoriosos de um dia... Na sucessão das exorbitâncias, o divertimento

Amor, Imbatível Amor

mais apetitoso passou a ser aquele que obrigava as vidas a serem estioladas das formas mais originais, para não dizer cruéis, que se possam imaginar. A variedade dos *jogos* e dos divertimentos ultrapassava a imaginação sempre fértil na criação de novos atrativos.

Foi uma das características da decadência do Império, porque as pessoas perderam o senso do prazer, passando para o divertimento da crueldade.

Através dos tempos foram modificados esses processos, não erradicados os divertimentos alucinados.

Mesmo hoje, na época das conquistas valiosas do pensamento e do sentimento, dos *direitos humanos*, da preservação ecológica, os divertimentos prosseguem tão bárbaros, senão mais apetecíveis na mídia, por exemplo, que se utiliza das paixões primevas do ser, para estimulá-lo mais aos divertimentos do sexo explícito, da brutalidade sem limites, da vulgaridade insensata, da nudez agressiva e vil, do mercado das sensações, enquanto o público, sempre ávido quão insatisfeito, exige espetáculos mais burlescos e brutais, na vida real, através das lutas de boxe, entre animais, da tauromaquia, e, quando cansado desse pequeno circo de loucura, das guerras hediondas que arrasam cidades, países e destroem vidas incontáveis, mutilando outras tantas que ficam física, psicológica e mentalmente esfaceladas.

Quanto mais divertimentos, mais fugas psicológicas, menos prazeres reais. Onde proliferam, também surgem a crueldade, a indiferença pelo sofrimento alheio, a ausência da solidariedade, porque o egoísmo deseja retirar o máximo proveito da situação, do lugar, da oportunidade de fruir e iludir-se, como se fosse possível ignorar os desafios e os conflitos, somente porque se busca anestesiá-los.

As pessoas divertidas parecem felizes, mas não o são. Provocam risos, porque conseguem mascarar os próprios sentimentos, em um faz de conta sem limite. Demonstram seriedade, mesmo nos seus divertimentos, o que provoca alegria, bulha e encantamento de outros aflitos-sorridentes, mas, passado o momento, volvem à melancolia, ao vazio em que se atormentam. A descontração muscular e emocional é forjada, não espontânea, nem rítmica, proporcionadora do prazer que harmoniza interiormente.

É natural que surjam, agora ou depois, vários, terríveis processos conflitivos na área da personalidade e no âmago da individualidade. Tais conflitos não serão resolvidos com gargalhadas ou com dissimulações, mas somente através de terapia conveniente e grande esforço do paciente, que se deve autodescobrir e encontrar as razões perturbadoras do estado emocional em que se encontra. O jogo escapista de um para outro divertimento somente complica o quadro, por adiar a sua solução.

FERIDAS E CICATRIZES DA INFÂNCIA

Tem sido estabelecido através da cultura dos tempos, que a infância é o período mais feliz da existência humana, exatamente pela falta de discernimento da criança, e em razão das suas aspirações que não passam de desejos do desconhecido, de necessidades imediatas, de ignorância da realidade.

Os seus divertimentos são legítimos, porque a eles se entrega em totalidade, sem qualquer esforço, graças à imaginação criadora que a transporta para esse mundo subjacente do crer naquilo que lhe parece. Não estando a per-

Amor, Imbatível Amor

sonalidade ainda formada, não há dissociação entre o que tem existência real e aquilo que somente se fundamenta na experiência mental.

A criança atravessa esse período psicologicamente feliz, sem o saber, com as exceções compreensíveis de casos especiais, porque tampouco sabe o que é a felicidade. Só mais tarde, na idade adulta é que, recordando os anos infantis, constata o seu valor e pode ter dimensão dos acontecimentos e prazeres.

Como a criança não sabe o que é felicidade, facilmente identifica-a no divertimento, aquilo que a agrada e a distrai, os jogos que lhe povoam a imaginação.

É na infância que se fixam em profundidade os acontecimentos, aliás, desde antes, na vida intrauterina, quando o ser faz-se participante do futuro grupo familiar no qual renascerá. As impressões de aceitação como de rejeição se lhe insculpirão em profundidade, abençoando-o com o amor e a segurança ou dilacerando-lhe o sistema emocional, que passará a sofrer os efeitos inconscientes da animosidade de que foi objeto.

Da mesma forma, os acontecimentos à sua volta, direcionados ou não à sua pessoa, exercerão preponderante influência na formação da sua personalidade, tornando-a jovial, extrovertida ou conflitada, depressiva, insegura, em razão do ambiente que lhe plasmou o comportamento.

Essas marcas acompanhá-la-ão até a idade adulta, definindo-lhe a maneira de viver. Tornam-se feridas, quando de natureza perturbadora, que mesmo ao serem cicatrizadas, deixam sinais que somente uma terapia muito cuidadosa consegue anular.

Por sua vez, o Espírito, em processo de reencarnação, acompanha mui facilmente os lances que precedem à futura experiência, e porque podendo movimentar-se com relativa liberdade antes do mergulho total no arquipélago celular, compreende as dificuldades que terá de enfrentar mais tarde, ao sentir-se desde então indesejado, maltratado, combatido.

Certamente, essa ocorrência tem lugar com aqueles que se veem impelidos ao renascimento para reparar pesados compromissos infelizes, retornando ao seio das suas anteriores vítimas, que agora os rechaçam, o que é injustificável.

A bênção de um filho constitui significativa conquista do ser humano, que se deve utilizar do ensejo para crescer e desenvolver os sentimentos superiores da abnegação e do amor.

As reações vibratórias que podem produzir os Espíritos antipáticos na fase perinatal, produzem, não raro, mal-estar. Não obstante, a ternura e a cordialidade fraternal substituem as ondas perturbadoras por outras de natureza saudável, preparando os futuros pais para o processo de aprimoramento e de educação do descendente.

Na raiz de muitos conflitos e desequilíbrios juvenis, adultos, e até mesmo ressumando na velhice, as distonias tiveram origem – efeito de causa transata – no período da gestação, posteriormente na infância, quando a figura da *mãe dominadora e castradora*, assim como do pai negligente, indiferente ou violento, frustrou os anseios de liberdade e de felicidade do ser.

Todos nascem para ser livres e felizes. No entanto, pessoas emocionalmente enfermas, ante o próprio fracasso, transferem para os filhos aquilo que gostariam de conseguir, suas culpas e incapacidades, quando não descarregam todo

Amor, Imbatível Amor

o insucesso ou insegurança naqueles que vivem sob sua dependência.

Esse infeliz recurso fere o cerne da criança, que se faz pusilânime a fim de sobreviver, ou leva-a a refugiar-se no ensimesmamento, na melancolia, sentindo-se vazia de afeto e objetivo de vida. Com o tempo, essas feridas pululam, impelindo a atitudes exóticas, a comportamentos instáveis, a fugas para o fumo, a droga, o álcool ou para as diversões violentas, mediante as quais extravasa o ressentimento acumulado, ou mergulha no anestésico perigoso da depressão com altos reflexos na conduta sexual, incompleta, insatisfeita, alienadora...

A sociedade terá que atender à infância por meio de mecanismos próprios, preenchendo os espaços deixados pela ausência do amor na família, na educação escolar, na convivência do grupo, nas oportunidades de desenvolvimento e de autoafirmação de cada qual. Para tal mister, torna-se necessário o equilíbrio do adulto, do educador formal, que pode funcionar como psicoterapeuta, orientando melhor o aprendiz e reencaminhando-o para a compreensão dos valores existenciais e das finalidades da vida.

Inveja, mágoa, ciúme, instabilidade, ódio, pusilanimidade e outros hediondos sentimentos que afligem as crianças maltratadas, carentes, abandonadas mesmo nas casas onde moram, desde que não são lares verdadeiros, constituem os mecanismos de reação de todos quantos se sentem infelizes, mesmo que inconscientemente.

A compreensão dos direitos alheios e dos próprios deveres, o contributo da fraternidade, a segurança afetiva, a harmonia interior, a compaixão, a lealdade se instalarão no ser, cicatrizando as feridas, à medida que o meio ambiente se transforme para melhor e o afeto dos outros, sincero quão desinteressado, substitua a indiferença habitual.

Qualquer ferida emocional cicatrizada pode reabrir-se de um para outro momento, porquanto não erradicada a causa desencadeadora, os *tecidos psicológicos* estarão muito frágeis, rompendo-se com facilidade, pela falta de resistência aos impactos enfrentados.

A questão da felicidade, por isso mesmo, é muito relativa. Se a felicidade são os divertimentos, ou é o prazer, ei-la de fácil aquisição. No entanto, se está radicada na plenitude, muito complexa é a engrenagem que a aciona.

De certo modo, ela somente se expressa em totalidade quando o artista conclui a obra a que se entrega, o santo ao ministério de amor a que se devota, o cientista realiza a pesquisa exitosa, o pensador atinge com a sua mensagem o mundo que o aguarda, o cidadão comum se sente em paz consigo mesmo... O *dar-se*, a que se refere o Evangelho, certamente é a melhor metodologia para alcançar-se essa ventura que harmoniza e plenifica.

Toda vez, portanto, que alguém sinta incompletude, insegurança, seja visitado pelos sentimentos inquietadores da insegurança, do medo, da raiva e da inveja injustificáveis, exceção feita aos estados patológicos profundos, as *feridas da infância* estão ainda abertas ou reabrindo-se, e necessitando com urgência de cicatrização.

Insegurança e arrependimento

A criança mal-amada, que padece violências físicas e psicológicas, vê o mundo e as pessoas através de uma óptica

Amor, Imbatível Amor

distorcida. As suas imagens estão focadas de maneira incorreta e, como consequência, causam-lhe pavor. Ademais, os comportamentos agressivos daqueles que lhe partilharam a convivência, atemorizando-a mediante ameaças de punições com seres perversos, animais e castigos de qualquer natureza, fazem-na fugir para lugares e situações vexatórios, nos quais o recolhimento não oferece qualquer mecanismo de defesa, deixando-a *abandonada*. Essa sensação a acompanhará por largo período, senão por toda a existência, perturbando-lhe a conduta insegura e assinalada por culpas sem sentido, que a levarão a permanente desconsideração por si mesma, pela ausência de autoestima, por incessantes arrependimentos.

Nessa instabilidade emocional, sem alguém em quem confiar e a quem entregar-se, a criança constrói o seu mundo de conflitos e nele se encerra, dominada por contínuo receio de ser ferida, desconsiderada, evitando-se participar da vida normal, para poupar-se a sofrimentos e do desprezo de que se sente objeto.

Para sobreviver, nessa situação, transfere os seus medos e sua insegurança para a responsabilidade do conjunto social que sempre lhe parece hostil, numa natural projeção do que sofreu e não pôde eliminar.

A violência de qualquer matiz é sempre responsável pelas tragédias do cotidiano. Não apenas a que agride pela brutalidade, por intermédio de gritos e golpes covardes, mas, também a que se deriva do orgulho, da indiferença, da perseguição sistemática e silenciosa, das expressões verbais pejorativas, desestimulando e condenando, enfim, de todo e qualquer recurso que desdenha as demais criaturas, levando-as a patologias inumeráveis.

Joanna de Ângelis / Divaldo Franco

A violência urbana, por exemplo, é filha legítima dos que se encontram em gabinetes luxuosos e desviam os valores que pertencem ao povo, que desrespeitam; que elaboram Leis injustas, que apenas os favorecem; que esmagam os menos afortunados, utilizando-se de medidas especiais, de exceção, que os anulam; que exigem submissão das massas, para que consigam o que lhes pertence de direito... produzindo o lixo moral e os desconcertos psicológicos, psíquicos, espirituais.

Numa sociedade justa, que se organiza com indivíduos seguros dos próprios deveres, na qual os compromissos morais têm prevalência, dignificando a criatura em si mesma e proporcionando-lhe recursos para uma existência saudável, os valores educativos têm primazia, por constituírem alicerces sobre os quais se edificam os grupos que a constituem.

Lúcidos, a respeito das necessidades que devem ser consideradas, os seus governantes se empenham com decisão para proporcionar os recursos hábeis que podem facultar a felicidade das massas.

Não obstante, há fatores que contribuem para os desajustes sociais, que precedem o berço e que constituem implementos relevantes na carga genética, programando seres inseguros, arrependidos, frágeis emocionalmente. Trata-se de Espíritos que não souberam conduzir-se, entregando-se a excessos e dissipações que os prejudicaram, mas também perturbaram outras vidas, produzindo *lesões nas almas*, que agora ressumam em conflitos inquietadores. Esses mesmos fatores induziram-nos a reencarnar-se em grupos familiares onde as dificuldades ambientais e os relacionamentos afetivos gerariam insegurança, levando à dubiedade de comportamento – após qualquer ação, boa

Amor, Imbatível Amor

ou má –, à irrupção do arrependimento, mais aflição que sentimento de autorrecuperação.

Somente através de uma constante construção de ideias positivas e estimuladoras será possível uma terapia eficiente, à qual o paciente se deve entregar em clima de confiança, trabalhando as lembranças traumatizantes recordadas e preenchendo o consciente atual com perspectivas que se farão arquivar nos refolhos d'alma, com propostas novas de felicidade, que voltarão à tona oportunamente, enriquecendo-o de alegria.

A reprogramação da mente torna-se essencial para a conquista da segurança e da paz. Acostumada ao pessimismo conflitivo, os seus arquivos no inconsciente mantêm registros perturbadores que deverão ser substituídos pelos saudáveis. Esse material angustiante irá elaborar comportamentos sexuais insatisfatórios, *medo de amar*, pequena autoestima, estabelecendo receios na área afetiva, por acreditar-se incapaz de ser amado, assim refugiando-se na autocomiseração, negando-se encontrar o sol do amor que tudo modifica.

Exercícios físicos contribuem para romper essa *couraça* psicológica, que se torna também física, produzindo dores nos tecidos orgânicos, abrindo espaços para a instalação de diversas enfermidades.

O ser psicológico é o vigilante do domicílio celular. Conforme se conduzir, estabelecerá as satisfatórias ou negativas manifestações da saúde física e mental.

Aprofundar reflexões nas causas da insegurança e do arrependimento de maneira edificante, procurando retirar o melhor proveito, sem culpa nem castração, é o desafio do momento para cada ser, que então se disporá à superação dos agentes constritores e de desagregação da personalidade.

NOSTALGIA E DEPRESSÃO

As síndromes de infelicidade cultivada tornam-se estados patológicos mais profundos de nostalgia, que induzem à depressão.

O ser humano tem necessidade de autoexpressão, e isso somente é possível quando se sente livre.

Vitimado pela insegurança e pelo arrependimento, torna-se joguete da nostalgia e da depressão, perdendo a liberdade de movimentos, de ação e de aspiração, em face do estado sombrio em que se homizia.

A nostalgia reflete evocações inconscientes, que parecem haver sido ricas de momentos felizes que não mais se experimentam. Pode proceder de existências transatas do Espírito, que ora as recapitula nos recônditos profundos do ser, lamentando, sem dar-se conta, não mais as fruir; ou de ocorrências da atual.

Toda perda de bens e de dádivas de prazer, de júbilos, que já não retornam, produzem estados nostálgicos. Não obstante, essa apresentação inicial é saudável, porque expressa equilíbrio, oscilar das emoções dentro de parâmetros perfeitamente naturais. Quando, porém, se incorpora ao dia a dia, gerando tristeza e pessimismo, torna-se distúrbio que se agrava na razão direta em que reincide no comportamento emocional.

A depressão é sempre uma forma patológica do estado nostálgico.

Esse deperecimento emocional faz-se também corporal, já que se entrelaçam os fenômenos físicos e psicológicos.

A depressão é acompanhada, quase sempre, da perda da fé em si mesmo, nas demais pessoas e em Deus... Os

Amor, Imbatível Amor

postulados religiosos não conseguem permanecer gerando equilíbrio, porque se esfacelam ante as reações aflitivas do organismo físico. Não se acreditar capaz de reagir ao estado crepuscular, caracteriza a gravidade do transtorno emocional.

Tenha-se em mente um instrumento qualquer. Quando harmonizado, com as peças ajustadas, produz, sendo utilizado com precisão na função que lhe diz respeito. Quando apresenta qualquer irregularidade mecânica, perde a qualidade operacional. Se a deficiência é grave, apresentando-se em alguma peça relevante, para nada mais serve.

Do mesmo modo, a depressão tem a sua repercussão orgânica ou vice-versa. Um equipamento desorganizado não pode produzir como seria de desejar. Assim, o corpo em desajuste leva a estados emocionais irregulares, tanto quanto esses produzem sensações e *enarmonias* perturbadoras na conduta psicológica.

No seu início, a depressão se apresenta como desinteresse pelas coisas e pessoas que antes tinham sentido existencial, atividades que estimulavam à luta, realizações que eram motivadoras para o sentido da vida.

À medida que se agrava, a alienação faz que o paciente se encontre em um lugar onde não está a sua realidade. Poderá deter-se em qualquer situação sem que participe da ocorrência, olhar distante e a mente sem ação, fixada na própria compaixão, na descrença da recuperação da saúde. Normalmente, porém, a grande maioria de depressivos pode conservar a rotina da vida, embora sob expressivo esforço, acreditando-se incapaz de resistir à situação vexatória, desagradável, por muito tempo.

Num estado saudável, o indivíduo sente-se bem, experimentando também dor, tristeza, nostalgia, ansiedade, já que esse oscilar da normalidade é característica dela mesma. Todavia, quando tais ocorrências produzem infelicidade, apresentando-se como verdadeiras desgraças, eis que a depressão se está fixando, tomando corpo lentamente, em forma de reação ao mundo e a todos os seus elementos.

A doença emocional, desse modo, apresenta-se em ambos os níveis da personalidade humana: corpo e mente.

O som provém do instrumento. O que ao segundo afeta, reflete-se no primeiro, na sua qualidade de exteriorização.

Ideias demoradamente recalcadas, que se negam a externar-se – tristezas, incertezas, medos, ciúmes, ansiedades –, contribuem para estados nostálgicos e depressões, que somente podem ser resolvidos à medida que sejam liberados, deixando a área psicológica em que se refugiam e libertando-a da carga emocional perturbadora.

Toda castração, toda repressão produz efeitos devastadores no comportamento emocional, dando campo à instalação de desordens da personalidade, dentre as quais se destaca a depressão.

É imprescindível, portanto, que o paciente entre em contato com o seu conflito, que o libere, desse modo superando o estado depressivo.

Noutras vezes, a perda dos sentimentos, a fuga para uma aparência indiferente diante das desgraças próprias ou alheias, um falso estoicismo contribuem para que o fechar-se em si mesmo se transforme em um permanente estado de depressão, por negar-se a amar, embora reclamando da falta de amor dos outros.

Diante de alguém que realmente se interesse pelo seu problema, o paciente pode experimentar uma explosão de lágrimas, todavia, se não estiver interessado profundamente em desembaraçar-se da couraça retentiva, fechando-se outra vez para prosseguir na atitude estoica em que se apraz, negando o mundo e as ocorrências desagradáveis, permanecerá ilhado no transtorno depressivo.

Nem sempre a depressão se expressará de forma autodestrutiva, mas com estado de *coração pesado* ou *preso*, disfarçando o esforço que se faz para a rotina cotidiana, ante as *correntes* que prostram no leito e ali retêm.

Para que se logre prosseguir, é comum ao paciente a adoção de uma atitude de rigidez, de determinação e desinteresse pela sua vida interna, afivelando uma máscara ao rosto, que se apresenta patibular, e podem ser percebidas no corpo essas decisões em forma de rigidez, falta de movimentos harmônicos...

Ainda podemos relacionar como psicogênese de alguns estados depressivos com impulsos suicidas, a conclusão a que o indivíduo chega, considerando-se um fracasso na sua condição, masculina ou feminina, determinando-se por não continuar a existência. A situação se torna mais grave quando se acerca de uma idade especial, 35 ou 40 anos, um pouco mais, um pouco menos, e lhe parece que não conseguiu o que anelava, não se havendo realizado em tal ou qual área, embora noutras se encontre muito bem. Essa reflexão autopunitiva dá gênese a um estado depressivo com indução ao suicídio.

Esse sentimento de fracasso, de impossibilidade de êxito pode, também, originar-se em alguma agressão ou rejeição na infância, por parte do pai ou da mãe, criando uma negação pelo corpo ou por si mesmo, e, quando de causa sexual, perturbando completamente o amadurecimento e a expressão da libido.

Nesse capítulo, anotamos a forte incidência de fenômenos obsessivos que podem desencadear o processo depressivo, abrindo espaço para o suicídio, ou se fixando, a partir do transtorno psicótico, direcionando o paciente para a etapa trágica da autodestruição.

Seja, porém, qual for a gênese desses distúrbios, é de relevante importância para o enfermo considerar que não é doente, mas que se encontra em fase de doença, trabalhando-se sem autocomiseração nem autopunição para reencontrar os objetivos da existência. Sem o esforço pessoal, mui dificilmente será encontrada uma fórmula ideal para o reequilíbrio, mesmo que sob a terapia de neurolépticos.

O encontro com a consciência, por meio de avaliação das possibilidades que se desenham para o ser, no seu processo evolutivo, tem valor primacial, porque o liberta da fixação da ideia depressiva, da autocompaixão, facultando campo para a renovação mental e a ação construtora.

Sem dúvida, uma bem orientada disciplina de movimentos corporais, revitalizando os *anéis* e proporcionando estímulos físicos, contribui de forma valiosa para a libertação dos miasmas que intoxicam os *centros de força*.

Naturalmente, quando o processo se instala – nostalgia que conduz à depressão – a terapia *bioenergética* (Reich, como também a espírita), a *logoterapia* (Viktor Frankl), ou conforme se apresentem as síndromes, o concurso do psicoterapeuta especializado, bem como de um grupo de ajuda, se fazem indispensáveis.

A eleição do recurso terapêutico deve ser feita pelo paciente, se dispuser da necessária lucidez para tanto, ou a dos familiares, com melhor juízo, a fim de evitar danos

Amor, Imbatível Amor

compreensíveis, os quais, ocorrendo, geram mais complexidades e dificuldades de recuperação.

Seja, no entanto, qual for a problemática nessa área, a criação de uma psicosfera saudável em torno do paciente, a mudança de fatores psicossociais no lar e mesmo no ambiente de trabalho constituem valiosos recursos para a reconquista da saúde mental e emocional.

O homem é a medida dos seus esforços e lutas interiores para o autocrescimento, para a aquisição das paisagens emocionais.

EXISTÊNCIAS FRAGMENTADAS

O *ego*, utilizando-se de técnicas para mascarar-se, recorre com frequência a mecanismos sutis, quando se vê defrontado pelo dever de assumir responsabilidades que se derivam dos atos insensatos, tais como transferência de culpa e autopunição.

No primeiro caso, torna-se-lhe mais fácil, racionalmente, fugir para a inocência e a fragilidade, direcionando acusações a outrem, do que enfrentar-se, e, no segundo caso, o recurso da autopunição castradora e infeliz, como anestésico para a consciência e liberação de um conflito, mesmo que gerando outros.

Reprimindo-se desde a infância mal vivida, o ser escamoteia os sentimentos e procura viver conforme os estereótipos convencionais, impedindo-se a autorrealização, o enfrentamento lúcido, a coragem para assumir responsabilidades e delas desincumbir-se sem conflito.

Ansiando por liberdade, defronta os impedimentos sociais e comportamentais, passando a ocultar os sentimentos e sofrer insatisfações que se sombreiam com perturbações psicológicas e desencantos.

Não se resolvendo por lutar contra os impedimentos à felicidade – que é a harmonia interior em identificação com os propósitos de elevação –, vive fragmentariamente, tornando a existência um fadário de pesada condução.

Somente por intermédio de uma resolução firme é que pode romper os fortes elos que o prendem aos sofrimentos desnecessários, mantendo a decisão de não se furtar às consequências, e superá-las a qualquer preço.

Os gregos antigos, experimentando as mesmas injunções psicológicas, conceberam, através da mitologia, os referenciais para bem traduzirem as ocorrências e seus efeitos, em bem entretecidas catarses, que ainda servem de modelo para um bom entendimento dos conflitos humanos e suas soluções.

No mito de Prometeu, por exemplo, vemo-lo roubando o fogo sagrado de Zeus, a fim de auxiliar os homens que se encontravam condenados às grandes trevas.

Surpreendido, foi aprisionado por trinta séculos, acorrentado a um rochedo até ser libertado por Heracles.

Nesse período, tinha o fígado exposto a um abutre que o devorava incessantemente, enquanto o órgão se refazia, a fim de que o seu fosse um suplício sem limite.

Em face da trágica ocorrência, quando ficou livre, aconselhou ao irmão Epimeteu que se mantivesse advertido e lúcido, não aceitando presente algum de Zeus, que certamente planejava desforço.

Invigilante, porém, Epimeteu deixou-se seduzir por bela jovem que Zeus lhe enviara, e que conduzia uma preciosa caixa.

Amor, Imbatível Amor

Tratava-se de Pandora que, após conquistá-lo e dominá-lo, abriu o cofre e espalhou o bafio das pestes, do sofrimento, das misérias que passaram a predominar no mundo...

Apesar de admoestado, o irresponsável deixou-se conduzir pela imprevidência egoica, passando a sofrer-lhe as consequências, e tornando-se causador das desgraças humanas.

Prometeu, como o nome significa, é aquele que prevê, que percebe antes, enquanto Epimeteu é o que desperta tardiamente, que toma conhecimento depois.

O *ego* astuto não aceita as sugestões do *Self*, que o adverte, e, imediatista, ambiciona o prazer voluptuoso, sem preocupação com os resultados da precipitação, da irreflexão.

Quando desperta, como ocorreu com Epimeteu, os danos já se avolumaram, e, em vez de assumir as responsabilidades, transfere-as para os outros ou autopune-se em mecanismos de consciência de culpa e sentimentos de remorso.

Todas as advertências que lhe são apresentadas soam sem significação, porque deseja a própria satisfação, a imediata e tormentosa sensação saciada, que somente se converte em nova inquietação desencadeadora de diferentes conflitos.

O ser, porém, está destinado à plenitude, à autorrealização, embora os desafios e as dificuldades aparentes que lhe surgem durante o período de crescimento.

A planta que germina arrebenta o claustro no qual a semente jaz encarcerada, desenvolvendo todos os conteúdos que a tipificam.

Nessa ruptura, desabrocha o fatalismo biológico que a conduz à totalidade.

As heranças das formas primevas, pelas quais passou o ser humano no seu processo antropológico, repetem-se desde o zigoto ao feto, à criança libertada do sacrário materno.

Os valores psicológicos, da mesma forma, ressumam das experiências humanas vividas antes, apresentando-se como tendências e conflitos, frustrações e egotismos, que se expressam no ser como recurso de segurança.

Os impulsos egoicos remanescentes dos instintos básicos, porém, devem ceder espaço às realizações conscientes, à diluição das mazelas e angústias, identificando a própria realidade.

Como resultado, não é lícito culpar os demais, menos ainda manter a atitude autopunitiva, masoquista.

O Prometeu que jaz no inconsciente em forma de reflexão e cuidado nas decisões psicológicas, deve tomar o lugar de Epimeteu, o malsucedido aventureiro e sonhador.

Qualquer tentativa de autopunição deverá ser substituída pela aquisição da autoestima e da boa orientação para o logro da saúde mental e comportamental.

Em face, porém, de qualquer *tentação* de transferir culpa para outrem, cabe a luta para assumir a coragem da responsabilidade sem conflito, compreendendo que se trata de experiência que libera a existência de fragmentação.

Essa atitude mental e de comportamento ético libera o germe de vida superior que também se encontra em todos os seres humanos, à semelhança da flor e do fruto dormindo no silêncio da semente que é portadora de vida e de bênçãos.

5

A BUSCA DO SENTIDO EXISTENCIAL

O VAZIO EXISTENCIAL • NECESSIDADE DE OBJETIVO
• SIGNIFICADO DO SOFRIMENTO NA VIDA • RELATIVIDADE DA
VIDA FÍSICA

Existir significa ter vida, fazer parte do Universo, contribuir para a harmonia do cosmo.

A existência humana é uma síntese de múltiplas experiências evolutivas, trabalhadas pelo tempo por meio de automatismos que se transformam em instintos e se transmudam nas elevadas expressões do sentimento e da razão.

À medida que os automatismos biológicos se convertem em impulsos dirigidos – ressalvados alguns que permanecerão sem a contribuição da consciência –, o ser psicológico passa a sobressair, conduzindo, de início, a carga dos atavismos que deverão ser remanejados, diluindo aqueles de natureza perturbadora e aprimorando aqueloutros que se transformarão em fontes de alegria, de prazer e de paz...

Simultaneamente, a razão abandona as brumas da ignorância que a entorpece – qual cascalho que envolve a gema preciosa – e se delineiam objetivos e sentido existencial. Enquanto não surge essa necessidade, o primarismo predomina, e o ser, não obstante em estágio de humanidade, apenas reage, sem saber agir; ambiciona sem discernir para quê; agride ou deprime-se, por desconhecer o valor da luta saudável, sempre desafiadora para a conquista do progresso. Somente então, surgem as interrogações que fazem parte da busca do sentido existencial: a) para que viver? b) por que lutar? c) como desenvolver essa capacidade de perseverar até alcançar a meta?

A vida é inerente a tudo, e tentar explicar-lhe a causa, o motivo do primeiro movimento que lhe deu origem, é perder-se em elucubrações filosóficas e religiosas desnecessárias. Aceitar-lhe a realidade sem discussão, que se apresenta como fuga psicológica para o seu enfrentamento, é o primeiro passo.

Vive-se, e isso é incontestável. Negá-lo significa anular-se, anestesiar a capacidade de pensar.

Viver da melhor forma possível é o desafio imediato. Viver bem – desfrutando dos recursos que a Natureza e a inteligência proporcionam – para bem viver – realizações internas com o desenvolvimento ético adequado, que proporcionam bem-estar interior –, eis a razão por que lutar.

Tal conquista sempre se consegue mediante o esforço da não aceitação comodista, partindo-se para a luta de crescimento pessoal e de transformação ambiental, que facultam a existência feliz.

O próprio esforço, na mínima realização vitoriosa, contribui para o favorecimento da capacidade de se prosseguir conquistando as metas que, ao serem alcançadas, oferecem outras novas, que podem proporcionar melhores condições de plenitude e de integração na Consciência Cósmica.

Cada etapa vencida, portanto, mais capacita o ser para as porvindouras que lhe cumpre conquistar. Experimentada uma vitória, surgem motivações especiais para o prosseguimento das lutas que acenam conquistas mais significativas, particularmente no íntimo, quando o ser psicológico desabrocha e predomina sobre o conjunto fisiológico.

O VAZIO EXISTENCIAL

Nesse processo de superação do primarismo, quando o *Self* adquire discernimento, se não houve um amadurecimento paulatino e cuidadoso, ocorrem, segundo Viktor Frankl, em seus estudos e aplicações logoterápicos, dois fenômenos que respondem pelo vazio existencial: *a perda de alguns instintos animais, básicos*, que lhe davam segurança, e o *desaparecimento das tradições* que se diluem, e antes eram-lhe paradigmas de equilíbrio.

Diante disso, o indivíduo é obrigado a escolher, com discernimento para eleger, dando surgimento a outro tipo de instinto de sobrevivência para prosseguir lutando. Sem uma decisão clara, torna-se instrumento dos outros, agindo conforme as demais pessoas, em atitude conformista, não reagindo aos impositivos do meio, perdendo-se, sem motivação, ou se deixa conduzir pelos interesses do grupo, atuando conforme o mesmo, que lhe impõe comportamentos agressivos, anulando o seu interesse e alterando o seu campo de ação.

Naturalmente perde o contato com o *Self* para que sobreviva o *ego*, e assimilando o que é bem da época, assume os modismos e se despersonaliza.

Nesse vazio que surge, por falta de motivação real para prosseguir, foge para o alcoolismo, para as drogas, para o sexo, ou tomba em depressão...

Noutras vezes, para ocultar essa lacuna na emoção – o vazio existencial –, refugia-se em comportamentos impróprios, buscando o poder, a glória efêmera através dos quais chama a atenção, torna-se brilhante sob os focos de luz da fama, neurotizando-se.

Dá-se conta de que as complexas engrenagens do poder e da glória continuam permitindo o vazio interior – porque se satura com rapidez das novidades do exterior – percebe também que as compensações do prazer sexual são frustrantes quão ligeiras, produzindo um certo estado de amargura que parece inexplicável.

Mui comumente surgem comentários no grupo social a respeito de alguém que tem tudo – dinheiro, família, beleza, inteligência, poder – e, no entanto, parece não ser feliz.

Sucede que esse *tudo* não preenche o *vazio*, faltando o sentido da vida, seu significado, sua razão de ser.

A tensão de novas buscas e a saturação que decorre do conseguir resultam em transtorno neurótico.

Com o tempo disponível e falta de objetivo, a única saída emocional é o mergulho na depressão. Essa ocorrência é comum nas pessoas atuantes que param de agir abruptamente, por enfermidades, por aposentadoria, pelos feriados e períodos de férias, que lhes abrem as feridas existenciais do vazio.

A psicoterapia unida à logoterapia ameniza a situação, propondo um sentido natural à existência, objetivos duradouros, que exigem esforço, embora sejam compreensíveis as recaídas até a fixação dos novos valores.

NECESSIDADE DE OBJETIVO

A busca de um sentido existencial por parte do ser humano constitui-lhe uma força inata impulsionadora para o seu progresso. Ao identificá-lo, torna-se-lhe o objetivo

Amor, Imbatível Amor

básico a ser conquistado, empenhando todos os recursos para a consecução da meta.

Graças a isso, que podem ser os seus ideais, as suas necessidades, as suas ambições, oferece a vida e não teme a morte, conseguindo, inclusive, permanecer sob as mais miseráveis e inumanas condições, desde que essa chama permaneça acesa interiormente.

Trata-se de um sentido pessoal que ninguém pode oferecer, e que é particular a cada qual. Torna-se, de futuro, um ideal de grupo, em razão de constituir interesse coletivo, porém a sua origem se encontra no nível de consciência e de pensamento individual, que elegem o que fazer e como fazê-lo. Não pode ser eleito por outrem ou brindado, senão conseguido pelo próprio ser.

Possivelmente será proposto quando se é despertado para o interesse, chamando-lhe a atenção, mas a sua eleição é pessoal.

Jesus, ante a transitoriedade dos valores terrestres e a fugacidade do corpo, propôs a *busca do Reino de Deus e Sua justiça*, elucidando que, após esta primazia *tudo mais será acrescentado*. Isto é, estabelecendo o mais importante – o sentido, o objetivo existencial –, as demais aspirações se tornam secundárias e chegarão naturalmente.

Esse *Reino de Deus* encontra-se na consciência tranquila, que resulta do dever retamente cumprido, dos compromissos bem conduzidos, dos objetivos delineados com acerto. Graças a essa diretriz, a aquisição dos recursos faz-se com naturalidade, como um acréscimo, que é a consequência básica.

Todos necessitam de um *algo* para motivar-se, para viver.

Essa busca de significado, de objetivo ou sentido não pode ser resultado de uma fé ancestral, isto é, de uma crença destituída de fatos, que se dilui ante dificuldades, principalmente os conflitos internos, mas da luz da razão que se transforma em vontade de conseguir uma vida mais expressiva, mais rica de conteúdo, de aspirações profundas e autênticas.

Um afeto familiar, um ideal em desenvolvimento, o lar, uma atividade dignificadora, o retorno a um serviço interrompido tornam-se, entre muitos outros, objetivos que dão sentido à vida, favorecendo meios para se lutar.

Sustentaram incontáveis encarcerados nos campos de trabalho forçado e de extermínio, mesmo quando exauridos, e nada mais lhes restava, sempre aguardando ser o próximo a morrer... Ainda vitalizam milhões outros que se encontram em situações inumanas, vítimas de homens e mulheres arbitrários, de sistemas injustos, de situações penosas.

Certamente, o oposto também dá sentido – infeliz, é certo – a outras existências: o ódio, o ressentimento, a ânsia de poder, tornando as suas trajetórias adrede fanadas, porque os mesmos são máscaras do *ego* ferido, que não se tornam razões de paz, antes se fazem contínuo tormento.

Quando se tem o porquê de viver, a forma de como viver até lograr o objetivo torna-se secundária. Esse impulso primário no ser faz que supere os obstáculos e impedimentos com o pensamento no que conseguirá.

Alguns psicoterapeutas afirmam que os princípios morais, que lhes parecem metafísicos, nada têm a ver com o sentido ou significado existencial. E se olvidam de todos quantos lhes entregaram as vidas, plenificando-se saudavelmente. Informam, ademais, que esse sentido resulta daquilo que pode enfrentar a existência, não nascendo com ela.

Amor, Imbatível Amor

Somos de parecer que o sentido, o objetivo, o essencial, é a autossuperação das paixões, a autoiluminação para bem discernir o que se deve e se pode fazer, para harmonizar-se em si mesmo, em relação ao seu próximo e ao grupo social no qual se encontra, bem como à Vida, à Natureza, a Deus...

Os princípios morais – alguns inatos ao ser humano – são indispensáveis. Não, porém, as imposições morais e sociais, geográficas, estabelecidas legalmente e logo desacreditadas. Mas aqueles que são inerentes, derivados do mais profundo e básico, que é o amor. Respeitar a Vida, amando-a; fomentar o progresso, trabalhando; construir a felicidade, perseverando; não fazer a outrem o que não deseja que o mesmo lhe faça, elimina a possibilidade de *consciência de culpa*, de conflito, e dão-lhe um padrão para o comportamento equilibrado, uma diretriz para a conduta sadia.

O ser atua moralmente, porque sente o impulso interno da vida que se submete às Leis que a regem.

Essa força interior que o leva à prática dos atos corretos, o bem, no início, é metafísica, pois procede do Psiquismo Causal, para depois tornar-se uma necessidade transformada em ações, portanto nos fatos que lhe confirmam a excelência.

Quando escasseiam esses princípios na mente e na emoção, o indivíduo, desestruturado, enferma; e a mais eficaz solução é o amorterapia, impulsionando-o a permitir que desabrochem os sentimentos de fraternidade, de solidariedade, de perdão, de autoentrega, assim aparecendo significados para continuar-se a viver.

Muitos aposentados e idosos, depressivos diversos, que se neurotizaram, recuperam-se através do serviço ao próximo, da autodoação à comunidade, do labor em grupo, sem interesse pecuniário, *reinventando* razões e motivos para serem úteis, assim rompendo o refúgio sombrio da perda do sentido existencial.

Sem meta não se vive, obedece-se aos automatismos fisiológicos em perigoso crepúsculo psicológico, a um passo do suicídio.

Quando o ser se percebe atuante, produtivo, necessário, vibra e produz. Todo e qualquer contributo psicoterapêutico, logoterapêutico, há de considerar a autovalorização do paciente.

Jesus sintetizou-o, na resposta com que concluiu o diálogo com o sacerdote que o interrogara a respeito do *Reino dos Céus: – Vai tu e faze o mesmo.*

Significado do sofrimento na vida

Para melhor expressar-se, o amor irrompe de formas diferentes, convidando à reflexão em torno dos valores existenciais. Muito do significado que se caracteriza pelo poder – mecanismo dominante da realização do *ego* – desaparece, quando o amor está presente, preenchendo o vazio existencial. Essa ânsia de acumular, de dominar, que atormenta enquanto compraz, torna-se uma projeção da insegurança íntima do ser que se mascara de força, escondendo a fragilidade pessoal, em mecanismos escapistas injustificáveis que mais postergam e dificultam a autorrealização.

A perda da *tradição* é como um *puxar do tapete* no qual se apoiam os *pés de barro* do indivíduo que se acreditava como o *rei da criação* e, subitamente, se encontra destituído da força de dominação, ante o desaparecimento de alguns

Amor, Imbatível Amor

instintos básicos, que vêm sendo substituídos pela razão. O discernimento que conquista é portador de mais vigor do que a brutalidade dos automatismos instintivos, mas somente, a pouco e pouco, é que o inconsciente assimilará essa realidade, que partirá da consciência para os mais recônditos refolhos da psique.

Nesta transformação – a metamorfose que se opera do rastejar no primarismo para a ascese do raciocínio – o sofrimento se manifesta, oferecendo um novo tipo de significado e de propósito para a vida.

Impossível de ser evitado, torna-se imperioso ser compreendido e aceito, porquanto o seu aguilhão produz efeitos correspondentes à forma por que se deva aceitá-lo.

Quando explode, a rebeldia torna-se uma sensação asselvajada, diláceradora, que mortifica sem submeter, até o momento em que, racionalmente aceito, faz-se instrumento de purificação, estímulo para o progresso, recurso de transformação interior.

O desabrochar da flor, rompendo o claustro onde se ocultam o perfume, o pólen, a vida, é uma forma de *despedaçamento,* que ocorre, no entanto, no momento próprio para a harmonia, preservando a estrutura e o conteúdo, a fim de repetir a espécie.

O parto que propicia vida é também doloroso processo que faculta dilaceração.

O sofrimento, portanto, seja ele qual for, demonstra a transitoriedade de tudo e a respectiva fragilidade de todos os seres e de todas as coisas que os cercam, alterando as expressões existenciais, aprimorando-as e ampliando-lhes as resistências, os valores que se consolidam. Na sua primeira faceta demonstra que tudo passa, inclusive a sua presença dominante, que cede lugar a outras expressões emocionais, nada perdurando indefinidamente. Na outra vertente, a aquisição da resistência somente é possível mediante o choque, a experiência pela ação.

O ser psicológico sabe dessa realidade. O *Self* identifica-a, porém o *ego* a escamoteia, fiel ao atavismo ancestral dos seus *instintos básicos*.

O sofrimento constitui, desse modo, desafio evolutivo que faz parte da vida, assim como a anomalia da ostra produzindo a pérola. Aceitá-lo com resignação dinâmica, através de análise lúcida, e bem direcioná-lo é proporcionar-se um sentido existencial estimulante, responsável por mais crescimento interior e maior valorização lógica de si mesmo, sem narcisismo nem utopias.

Todos os indivíduos, uma ou mais vezes, são convidados ao enfrentamento sem enfermidades graves ou irreversíveis, mas com dramas familiares inabordáveis, com situações pessoais quase insuportáveis, defrontando o sofrimento.

A reação irracional contra a ocorrência piora-a, alucina ou entorpece os centros da razão, enquanto a compreensão natural, a aceitação tranquila propiciam a oportunidade de conseguir o *valor supremo* de oferecer-se para a conquista do *sentimento mais profundo* da existência.

A morte, a enfermidade, os desastres econômicos, os dramas morais, os insucessos afetuosos, a solidão e tantas outras ocorrências perturbadoras, porque inevitáveis, produzindo sofrimento, devem ser recebidas com disposição ativa de experienciá-las. Para alguns desses acontecimentos palavra alguma pode diluir-lhes os efeitos. Somente a interação moral, a confiança em Deus e em si mesmo para a convivência feliz com os seus resultados.

Amor, Imbatível Amor

Essa disposição nasce da maturidade psicológica, do equilíbrio entre compreender, aceitar e vivenciar. Aqueles que não os suportam, entregando-se a lamentações e cilícios íntimos, permanecem em estado de infância psicológica, sentindo a falta da mãe superprotetora que os aliviava de tudo, que tudo suportava em vãs tentativas de impedir-lhes a experiência de desenvolvimento evolutivo.

A aceitação, porém, do sofrimento como significado existencial e propósito de vida não se torna uma cruz masoquista, mas se transforma em *asas* de libertação do cárcere material para a conquista da plenitude do ser.

RELATIVIDADE DA VIDA FÍSICA

Embora a relatividade do ser físico, da existência terrena, o sentido da vida permanece inalterado. Se se depositam no corpo, apenas, todas as aspirações, à medida que ele envelhece, que se lhe diminuem as resistências e possibilidades, claro está que perdem o impacto e o objetivo.

Observando-se, porém, a vida como um todo, não somente como a trajetória fisiológica, tais anseios se realizam a cada instante, arquivando-se no passado, e servem de base para novas buscas e motivações.

Não sendo o corpo mais que uma vestimenta, a sua duração é restrita, desgastando-se enquanto vibra, consumindo-se à medida que é utilizado.

As conquistas agradáveis e as derivadas do sofrimento tornam-se parte integrante do seu conteúdo, permanecendo como valores que o enriquecem.

O importante não é o seu tempo de duração, mas a forma como é vivida, experienciada, arquivada cada etapa.

Quando se encontra acumulado, vibra e tem sentido, porquanto pode ser acionado a cada instante, revivido com intensidade quando se queira, repetindo as emoções antes experimentadas.

Não há por que se temer o envelhecimento, invejar a juventude, lamentar o tempo. Esse comportamento viceja nos indivíduos imaturos. O vir a acontecer não pode influir mais na conduta do que o já-acontecido.

Os sofrimentos vivenciados, os sorrisos externados, os conhecimentos adquiridos, os recursos utilizados são todos um cabedal que não pode ser comparado ou permutado pelas interrogações daquilo que ainda não foi conseguido.

A existência física possibilita a integração do indivíduo com a Natureza, harmonizando-o e promovendo-o para realizar incursões mais audaciosas, quais a superação do *ego* e o crescimento do *Self*, assim como a tranquila movimentação na sua realidade de ser imortal. O seu trânsito no corpo constitui-lhe uma etapa valiosa para a recomposição de forças que se perturbaram, e a aquisição de energias mais sutis que se derivam do Eu superior e devem ser canalizadas no rumo da sua sobrevivência.

Assim não fosse, a consumpção orgânica encerrar-lhe-ia a realidade, apagando as conquistas do pensamento e do amor.

Essas expressões da vida não se comburem jamais, desaparecendo na memória do tempo, extinguindo-se no espaço universal. Permanecem atuantes e realizadoras, vencendo as barreiras vibratórias do corpo e mantendo-se organizadas fora dele, porque são a fonte geradora do existir.

Amor, Imbatível Amor

A busca do sentido da vida ultrapassa a manifestação da forma e prossegue em outras dimensões, aformoseando o ser que projeta, sim, a sua realidade para outros cometimentos existenciais futuros, outros desafios humanos, superando-se através das conquistas armazenadas, direcionando-se para a integração na harmonia da Consciência Cósmica, livre de retentivas com a retaguarda, desembaraçado de aflições, porque superadas, e aberto a novas expressões sempre portadoras da peregrina luz da sabedoria.

6

Objetivos conflitivos

Sucesso e fracasso • Astúcia e criatividade
• Imagem e projeção • Individualismo

O desajuste emocional e a perda de identidade que predominam na sociedade contemporânea determinam como indispensável a conquista de metas estabelecidas pelo egoísmo, em indisfarçável preocupação de parecerem proporcionar a felicidade. O triunfo que todos devem almejar, segundo essas tendências, apresenta-se estatuído em como se conseguir destaque social, parecer-se vencedor, tornar-se divertido.

Para esse cometimento surgem cursos e técnicas variadas para superar-se obstáculos – circunstâncias, ocorrências e pessoas – conquistar-se amigos, lograr-se relacionamentos úteis, que significam vantajosos, numa terrível, quase neurótica preocupação pelas vitórias exteriores.

O ser, em si mesmo, é de quase secundária importância, desde que a aparência seja agradável, a posição tenha representatividade e o dinheiro se encarregue de resolver as situações embaraçosas.

Tais objetivos não passam de disfarces para a luta pela supremacia do *ego* portador de recalques, que deixa de lutar pela libertação do *Self* para engendrar novos futuros conflitos.

A busca de poder que favorece a projeção social e o ter produzem contínua inquietação, de algum modo pelo medo de não mais vir a dispor da situação cômoda, invejável. Esse receio induz à insegurança, à desconfiança, à instabilidade.

À medida, porém, que as contas bancárias aumentam e o brilho social projeta, o indivíduo perde contato com a sua realidade, tornando-se antinatural, exigindo tratamento especial em toda parte, especialmente no lar – qual lhe é propiciado pela insensatez da bajulação –, sentindo-se *todo-poderoso* e agressivo. Não permite ser contrariado nas coisas e situações de quase nenhuma importância, porque susceptível em demasia, se irrita, agride, se indispõe. Essa conduta sistemática e as pressões sofridas no mundo do parecer estressam-no, e cada vez o fazem tombar na insatisfação.

Noutras vezes, afadiga-se por defender a posição em que estagia, e não desfruta daquilo que foi anelado, porque está sempre preocupado com aqueles que vêm atrás e ameaçam-lhe o lugar de falso triunfo. Prossegue, então, acumulando mais, defendendo-se mais, amando menos, tranquilizando-se menos ainda.

Se escapa dessas injunções conflitivas, experimenta a saturação e desmotiva-se, mergulhando no tédio gerador de morbidez e depressão.

Os objetivos, quando legítimos, não podem encarcerar nem entorpecer, menos ainda afligir. Somente aqueles que são constituídos por qualidades e valores profundos, compensam o afã e o esforço por lográ-los.

Formam-se pelos anseios de vitórias, de realizações, não, porém, exclusivamente exteriores, senão também, internas, as únicas que produzem renovação, que estimulam e dão sentido existencial.

Amor, Imbatível Amor

SUCESSO E FRACASSO

O homem tem necessidade de enfrentar desafios. São eles que o impulsionam ao crescimento, ao desenvolvimento de suas aptidões e potencialidades, sem o que permaneceria sem objetivo, relegando-o ao letargo, à negação da própria mecânica da vida que se expressa como evolução.

À medida que se lhe vai operando o amadurecimento psicológico, mais amplas perspectivas surgem nas suas paisagens mentais em forma de aspirações que se transformam em lutas motivadoras da existência. Cada etapa vencida faculta novos rumos a percorrer e o seu transcurso é realizado a esforço que o ideal do sucesso propõe. A princípio são metas próximas, não obstante se possam ambicionar outras mais expressivas, mesmo que remotas, porém prenunciadoras de vitórias imediatas.

O que está próximo e fácil não constitui grande desafio nem forte motivação para ser conseguido, pois sucede com mínimo esforço, deixando, quando logrado, um certo travo de frustração.

Enquanto se acalentam ambições nos padrões da realidade do possível, se vive motivado para prosseguir. O seu desaparecimento faz-se morte existencial. Dessas objetivações realizáveis surgem projetos mais audaciosos, considerados então impossíveis, que a tenacidade e a inteligência ao esforço conseguem alcançar.

A conquista da roda inicialmente mudou a fase do planeta. A fundição dos metais, a eletricidade e suas inumeráveis aplicações alteraram completamente o mundo terrestre, que deixou de ser conforme se apresentava para ressurgir com aspecto totalmente novo. Os desafios do micro e do macrocosmo, que estão sendo vencidos, alteram, com os recursos avançados da Ciência e da Tecnologia, a cultura, a civilização e a vida nas suas diversas expressões.

Certamente, a precipitação emocional, as graves patologias orgânicas, psicológicas e psíquicas, algumas resultado dos atavismos e das fixações ancestrais, não permitiram, por enquanto, que se instale na sociedade a felicidade, nem no próprio indivíduo a harmonia, o prazer não agressivo nem extravagante. A morbidez que campeia tem-nos dificultado.

Apesar dos sucessos conseguidos em muitos setores, outros permanecem obscuros, aguardando. Passos audaciosos já foram dados, favorecendo o bem-estar e ampliando os horizontes existenciais.

Lenta, mas seguramente, o homem sai da *caverna*, tem sucesso ao diminuir as sombras por onde transita e desenha um radioso futuro. Os vestígios de barbarismo, o predomínio da natureza animal, a perseverança da apatia vão sendo substituídos pelos anelos de liberdade, pelos ideais de autoiluminação, de progresso, de amor, que se lhe desdobram no imo como um hino de alegria, uma saudação estuante de júbilo, um êxito em relação às condições hostis e às tendências perturbadoras.

Saturado do habitual, aspira pelo inusitado. Apaixonado pelo bom, pelo nobre, pelo belo, liberta-se, a esforço que supera a vulgaridade, o tédio, o *ego* dominador. Harmoniza o *Self* com o cosmo e busca integração no conjunto geral, sem perda de identidade nem de individualidade.

O sucesso é sempre o prêmio para quem luta e aspira por ascensão, *poder, destaque*. Não se trata de buscas egoicas, mas de instrumentos de uso para conseguir a vigência dos ideais.

Amor, Imbatível Amor

O poder é ferramenta neutra. A aplicação que lhe é dada responde pelos efeitos que produz. Proporciona os meios hábeis para as realizações, abrindo portas e ensanchas, a fim de que a vida se torne mais significativa.

Ter, possuir para manter-se com dignidade, em segurança econômica, social, emocional, é um sentido existencial através do qual se harmonizam algumas necessidades psicológicas.

Qualquer tipo de carência aflige, e quando se faz pronunciada, expressando-se em um meio social ou em uma situação econômica angustiante, leva a crises desestruturadoras do comportamento.

O sucesso significativo, porém, se expressa como a atitude de equilíbrio entre o conseguir e o perder. Nem sempre todas as respostas da luta são positivas, de triunfo. O fracasso, desse modo, faz parte integrante do comportamento da busca. Não se deter, quando por ele visitado, retirar a lição que encerra, analisar os fatores que o produziram, a fim de que não se repita, e recomeçar, quantas vezes se faça necessário, eis a forma de torná-lo um sucesso verdadeiro.

A rebelião ante a sua ocorrência, a desestruturação íntima, a perda do sentido da luta, além de constituírem prejuízo emocional, representam fracasso real. O insucesso de um cometimento pode tornar-se experiência que predispõe ao triunfo próximo.

Na estratégica bélica, vencer a guerra é a meta, e não somente ganhar batalhas. O importante e essencial, no entanto, é sair vitorioso na luta final, aquela que define o combate.

O homem de sucesso ou de fracasso exterior deve vigiar o comportamento íntimo para detectar como se encontra realmente, e remanejar a situação.

Produzir a harmonia entre o *Eu superior* e o *ego* é que realmente representa sucesso ideal.

ASTÚCIA E CRIATIVIDADE

O instinto, por não possuir a faculdade de pensar, adquire e exterioriza a astúcia, que é um mecanismo através do qual consegue o que persegue.

Habilidade, perseverança, artimanhas fazem parte dessa manifestação que tipifica diversos animais entre os quais alguns seres humanos.

A criatividade se deriva da faculdade de pensar, que se renova sem cessar.

Considerava J. Paul Sartre que o *homem se reinventa*, que está sempre engendrando ideias, meios e formas para ser novo, para estar novo.

Naturalmente, o homem criativo é capaz de reinventar-se, de sair da rotina, de buscar novos desafios e entregar-se a contínuos anelos de evolução.

As *artimanhas* do instinto preservam a vida do animal, quando se mimetiza a fim de livrar-se dos predadores, seus inimigos naturais que, não fosse esse valioso recurso da natureza, exterminariam as espécies de que se nutrem e, graças às quais, sobrevivem.

Quando esse instinto não se encontra iluminado pela *consciência desperta*, lúcida, e direciona o ser, surge-lhe a astúcia em detrimento da inteligência, tornando-o adaptável em quaisquer situações, pusilânime, aderindo e vinculando-se a pessoas e circunstâncias, sem a sua identidade pessoal nem as específicas características psicológicas. Mente, engana, trai, considerando-se inteligente e subestimando a inte-

Amor, Imbatível Amor

ligência dos demais. Porque age, direcionado pelo instinto, *inventa*, sem criatividade, escusas, esclarecimentos, projetando sempre a *sombra*, até ser desmascarado ou relegado a plano secundário, considerado pernicioso ao meio social.

A criatividade inspira à busca do real, embora no campo imaginário, conduzindo o ser psicológico à aquisição de recursos que o emulam ao desenvolvimento das potencialidades nele jacentes. Quando bem direcionada, supera a fantasia, que se lhe pode antecipar, penetrando no âmago das coisas e ocorrências com que compõe novos cenários e estabelece produtivos objetivos.

O ser criativo sai das situações menos felizes sem amarguras ou sequelas dos insucessos e desgostos experimentados, convertendo-os em lições de vida mediante as quais progride em tranquilidade.

Somente a criatividade pode manter as pessoas que experimentam superlativas dores e excruciantes abandonos, perseguições e impiedades.

Quando despidas de tudo – haveres, família, amigos, títulos –, não são despojadas de si mesmas, com as quais contam, reconstruindo a autoconfiança e projetando-se no futuro.

O astuto busca enganar, enganando-se.

Inseguro, tenta a lisonja, o enredo falso e se emaranha na tecedura da rede de ilusões.

O criativo, quando sofre o presente, recupera mentalmente o passado, revivendo-o, recompondo as cenas e programando o futuro. Se, por acaso, o seu foi um passado menos feliz, repara-o, reexamina-o e tenta descobrir-lhe os pontos vulneráveis do comportamento que lhe brindou as consequências perturbadoras. Ao delinear o futuro reforça a coragem e a vigilância, trabalhando-se para os enfrentamentos, sempre de maneira nobre, a fim de não perder o respeito nem a dignidade para consigo mesmo.

A astúcia não resiste à análise inteligente por falta de suporte real, basilar, para as suas propostas. Quem a cultiva, permanece infantil, mente à *mãe castradora* ou *superprotetora*, ao *pai dominador* ou negligente, escondendo agora a realidade como fazia na infância, por medo ou para estar nas graças, porém em permanente conflito que muda apenas de apresentação.

Essa *couraça* do medo que comprime e libera os mecanismos de fuga da realidade e do dever, deve ser removida pela energia da razão, em exame cuidadoso quanto aos resultados da conduta, elegendo aquela que não produza danos mais tarde, apesar dos riscos e desagrados do momento.

A criatividade dá sentido à existência, que não estaciona ante o já conseguido, demonstrando a excelência de tudo quanto falta para ser alcançado.

Liberta do encarceramento elaborado pelo *ego*, rompendo o círculo da comodidade e impulsionando a novas experiências.

A mente criativa é atuante e renovadora, propiciando beleza ao ser, que se faz solidário no grupo social, participante dos interesses gerais, aos quais se afeiçoa, enquanto vive as próprias expectativas elaboradas pelo pensamento idealista.

A mente astuta, anestesiada pela ilusão, nega-se à aceitação da realidade por temor de ver desmoronar o seu castelo de sonhos, e ter que se enfrentar despida das mentiras e quejandos. Momento, porém, chega, no qual se rompe essa *couraça* constritora – o sofrimento, o amor, o conhecimento, a alegria legítima afloram – e surge, num parto feliz, a criatividade enriquecedora, equilibrada e tranquila, proporcionando saúde psicológica.

IMAGEM E PROJEÇÃO

O *ego*, na sua ambição possessiva, esconde o ser quanto pode. Mascara a realidade como mecanismo teimoso de sobrevivência, desenvolvendo projeções para o exterior, mesmo que em situação conflitiva.

Ambicionando o que não conseguiu nem se esforça para conquistar, assume comportamento ambivalente: aquilo que demonstra e a frustração da não realidade.

Desestruturado da personalidade que não se organizou com segurança, o *ego* elabora imagens que assumem aspecto de legitimidade, dando lugar ao surgimento de personificações parasitárias, prejudiciais.

Insculpidas no inconsciente por impulsos de fuga de situações afligentes, as mesmas assomam e se instalam, bloqueando a consciência e adquirindo domínio sobre a razão.

São muito delicados os alicerces da personalidade, que se vão organizando através do tempo, desde o período perinatal, cuja influência forte estabelece, por automatismos, programas que se manifestarão na infância, adolescência e idade adulta, exigindo atenção.

Quando se trata de um ser equilibrado, cujo desenvolvimento se dá com naturalidade, sem complexidades patológicas, todo o futuro psicológico faz-se harmônico, saudável, e os enfrentamentos mais consolidam as estruturas que os constituem. Quando, porém, são vítimas dos conflitos ambientais, dos distúrbios familiares, com destaque para os pais, especialmente para a mãe, mesmo sem que tenham responsabilidade consciente, os efeitos são desastrosos.

A insegurança, os temores, os complexos de inferioridade, as compulsões mascaram o ser, e este, a fim de sobreviver no grupo social que se lhe apresenta como hostil, passa a atuar de forma semelhante, isto é, em consonância com o que se lhe impõe, tornando-se *pessoa-espelho*, mas tormentosa para si mesmo.

Para a integração da imagem no ser, das facetas e personalidades que assume, nos mecanismos de defesa e de fuga da realidade, torna-se indispensável uma terapia psicológica cuidadosa e a convivência com um grupo de ajuda saudável.

Assim mesmo, deve-se considerar que o ser é a soma de muitas reencarnações, nas quais esteve na condição de personalidades transitórias, cujos conteúdos foram-lhe incorporados, formando-lhe a individualidade. É natural, portanto, que essas experiências e vivências mais marcantes arquivadas no inconsciente profundo emerjam, vez que outra, confundindo a consciência atual e, às vezes, escapando-lhe ao controle em forma de imagens projetadas, de personificações que exteriorizam com prevalência do *ego*.

Adicione-se a esse transtorno psicológico a incidência de psiquismos diversos, interagindo por processos hipnóticos, conscientes ou não, sobre a pessoa portadora de uma estrutura psicológica frágil, e o conflito se torna mais expressivo.

Nesse capítulo, surgem as obsessões espirituais, particularmente produzidas pelos Espíritos desencarnados que interferem na conduta humana graças à emissão de ondas-pensamento perniciosas, carregadas de altos teores vibratórios de ódio, ciúme, despeito, vingança, e se verão

Amor, Imbatível Amor

as mudanças bruscas na conduta moral, mental e comportamental, dando curso a psicopatologias variadas e graves.

Essa incidência, que é muito comum, particularmente em razão dos mecanismos de afinidade entre os seres, constitui enfermidade desafiadora, por significar a força opressiva e constritora de um campo psíquico sobre outro que passa a dominar.

A imagem captada, que se instala sobre a personalidade, aturde-a, e trava-se uma luta perturbadora entre o agredido e o agressor, que conduz carga vibratória constituída de energia deletéria, resultado do cultivo de sentimentos destrutivos.

Seja, porém, qual for a psicogênese do distúrbio em que se transformam as imagens projetadas pelo indivíduo, faz-se urgente a psicoterapia, a fim de auxiliá-lo no autoencontro, na conquista da sua identidade, que são os caminhos eficientes para a autorrealização.

O ser real tem que vencer as camadas sucessivas de *sombras* que o ocultam, desarticulando as engrenagens passadas das imagens que projeta em estados mórbidos, enfrentando o meio onde vive após se autoenfrentar.

A identificação de metas saudáveis, aquelas que enobrecem, constitui o passo que deve ser dado para conquistá-las, diluindo, em cada etapa, as projeções jacentes no inconsciente ou captadas psiquicamente, originadas de outros campos psíquicos.

Assumir-se, pois, os valores que a cada um tipifica, é conquista do *Self* sobre o *ego*, liberando-se de conflitos.

Individualismo

A imaturidade psicológica não oferece sinergia para as lutas com efetivo espírito de competitividade e de realização.

Porque num estado medíocre de evolução, o homem busca sobressair-se, engendrando mecanismos de individualismo e utilizando-se de superados métodos de combate aos outros antes que de autolibertação.

Para destacar-se, em tal conjuntura, usa os outros, mediante artifícios do *ego* para conseguir os seus objetivos que, não o plenificando, prosseguem conflitivos, ou recorre à velha conduta do *dividir para imperar*, acumulando insucessos reais que são tidos como realizações vantajosas.

A valorização de si mesmo conscientiza o ser quanto à necessidade de bom trânsito no grupo social e da sua importância no mesmo. Célula valiosa do conjunto, deve encontrar-se harmônico, a fim de gerar um órgão sadio que se promoverá ampliando o círculo através de novos membros, dessa forma alcançando toda a sociedade.

A vida expressa-se em um todo, num coletivo equilibrado que, mesmo se apresentando numa estrutura geral, não anula o indivíduo, nem o impede de desenvolver-se, agigantar-se. Isso, porém, não o leva, necessariamente, ao individualismo, que é conduta imposta pelo *ego* conflitivo.

Quando tal ocorre, as carências afetivas se apresentam transmudadas em ambições que atormentam enquanto parecem satisfazer; o indivíduo dá mostras de autorrealização que mal disfarça a solidão e a insatisfação íntima que se lhe encontram pulsantes no íntimo.

Amor, Imbatível Amor

É provável que, nesse contexto, o hemisfério esquerdo do seu cérebro – racional, analítico, matemático, lógico, casuístico – ignore o poder do direito – intuição, imaginação, transcendência, pensamento holístico, artístico –, condenando-o a viver sob a injunção de fórmulas, de teorias, de conceitos preestabelecidos, de julgamentos feitos, de regulamentos rígidos, aparentando não sentir necessidade do emocional e artístico, do divino e metafísico.

Nesse afã de ser lógico e individualista, impõe-se, sem dar-se conta, os próprios limites, e, por temor de aventurar-se no grupo social, integrando-se e explorando possibilidades que poderão resultar no progresso geral, estiola-se emocionalmente, tornando-se rude, amargo, ingrato para com a vida, embora projete imagem diferente de si.

Perdendo o contato com a intuição, a simplicidade, o senso comum, isola-se, e passa a ver o mundo e as demais pessoas por meio de uma óptica distorcida, que lhe tira a claridade do discernimento e lhe faculta a identificação de conteúdos e contornos, fronteiras e intimidades.

Estabelecendo objetivos que agradam ao *ego*, mais se lhe aumentam os conflitos internos, por falta de valor para identificar as próprias falhas e os medos que não combate.

O individualismo é recurso de fuga das propostas da vida, desvio de rota psicológica, porque não avança holística e socialmente para o todo, para o conjunto que não se pode desagregar sob pena de não sobreviver.

Todo individualista impõe-se, usando os demais, e converte-se em títere de si mesmo e dos outros, ou sucumbe nas sombras espetaculares do transtorno íntimo que foge para a loucura ou o suicídio.

Os objetivos não conflitivos da vida, porém, são conseguidos pelo indivíduo que os reparte com o seu grupo social, no qual sustenta os ideais, haurindo aí sinergias para prosseguir lutando e vencendo, de forma saudável e equilibrada, sem projeções nem imagens irreais.

7

TORMENTOS MODERNOS

MASSIFICAÇÃO • PERDA DO SENSO DE HUMOR
• COMPORTAMENTOS AUTODESTRUTIVOS

Os avanços da Ciência aliados à Tecnologia favoreceram a vida com incomparáveis contribuições: higiene e saúde, comodidade e prazer, facilidade de locomoção e de cultura, programas de solidariedade e apoio, mais amplos recursos de fraternidade e inter-relacionamentos pessoais...

A *globalização* tornou-se inevitável, ganhando-se distâncias com velocidades expressivas e participando-se das ocorrências que têm lugar nos mais diferentes pontos do globo.

Baniram da Terra várias endemias, erradicaram doenças cruéis, alteraram a face do planeta, melhorando-lhe inumeráveis condições...

Não obstante, os nobres e úteis avanços não conseguiram impedir a violência urbana; as guerras, cada vez mais destruidoras; a miséria econômica e social; os fenômenos sísmicos; o surgimento de novas e calamitosas enfermidades; a corrupção de vários matizes, que campeia desenfreada; os crimes hediondos assim como a pena de morte, a eutanásia, o aborto, o suicídio, a traição...

Aprofundaram a sonda na psique do ser humano e desvelaram muitos enigmas que antes desvairavam, oferecendo recursos terapêuticos para minimizar e mesmo sanar muitos transtornos. Todavia, não puderam evitar distúrbios neuróticos e de pânico, as depressões profundas e outras tantas patologias tormentosas da mente...

A admirável conquista da ecologia ressalta este período, preservando a vida vegetal, animal, o meio ambiente com valiosas contribuições em favor do planeta em pré-agonia.

Apesar disso, a vida humana perece pela fome, pelo abandono, por diversas doenças que ainda não foram vencidas, pelo desrespeito de que é vítima...

Ocorre que o homem interior ainda não se fez conquistar. As valiosas realizações de fora aprisionaram-no, por outro lado, no limite das horas, no volume esmagador dos compromissos, na multiplicidade das realizações para a sobrevivência, estressando-o ou fazendo-o indiferente ao seu próximo, tornando-o arrogante ou aturdido, falto de ideais superiores e abarrotado de coisas sem significado real.

As exigências sociais tiraram-lhe a naturalidade, e os anseios de triunfos externos desestruturam-no, tornando-se-lhe importantes os valores que se fazem conhecidos, embora escravizem, em detrimento daqueloutros que permanecem não vistos e que são libertadores.

O temor detém-no no lar, cercado de tecnologia, mas isolado da convivência com outras pessoas, longe do calor humano que produz relacionamentos motivadores.

A exiguidade de tempo não lhe propicia mais a reflexão, levando-o a agir e a reagir por impulsos. Escasseiam-lhe os momentos para si mesmo, interiormente, em espaços mentais e emocionais de oração, de meditação, de refazimento de forças exauridas nos embates contínuos.

Amor, Imbatível Amor

(...) Os medos assaltam-no, e a solidão na multidão asfixia-o.

MASSIFICAÇÃO

Ao tempo em que as informações se multiplicam, oferecendo o conhecimento de muitas ocorrências simultaneamente, aquelas que têm primazia nos veículos de comunicação – tragédias, excentricidades, violências e crimes, sexo em desvario, ameaças de morte e de guerra – deixam o indivíduo inseguro. Porque não dispõe de tempo para *digerir* e bem absorver as notícias, selecionando-as, abate-se com facilidade ou excita-se, armando-se emocionalmente para os enfrentamentos.

Ocorre-lhe o fenômeno de ruptura da homeostase, que o perturba, física e psiquicamente.

Deixando-se arrastar pelo volume, massifica-se e perde o contato com a própria identidade, passando a ser apenas mais um no grupo no qual se movimenta – trabalho, recreios, estudos, em quaisquer atividades – submetendo-se ao estabelecido, ao gosto geral, à vontade alheia, às necessidades que os organizadores definem, sem o consultarem anteriormente. Os seus passam a ser os prazeres que outrem lhe concede, exigindo que se sinta bem e se divirta, porquanto esse é o convencionado. Membro que é do conjunto, as suas são as opções gerais.

A massificação deságua na desumanização, reconduzindo o ser ao anterior estágio dos impulsos e *instintos básicos*, que eram próprios para a selva antiga, e agora se apresentam como necessários na moderna, que é construída de pedras, cimento e ferro. Nela, não há liberdade plena nem harmonia gratificante, porquanto é artificial, ruidosa, agressiva, propondo contínuo, exaustivo estado de alerta contra os seus métodos e membros igualmente violentos.

A massa humana, como ser grupal, é destituída de *alma*, de sensibilidade. Em sua marcha voluptuosa avassala, deixando escombros físicos e psicológicos por onde passa. Porque os seus membros perderam a capacidade de ser indivíduos, *estouram* a qualquer voz de comando, arrastados pelos que os *sediciam*, e assim agem, para não ficarem esmagados. Os seus tornam-se os interesses coletivos, e tudo é programado, extinguindo no homem a espontaneidade, que lhe expressa a individualidade, o nível psicológico e de consciência no qual se encontra.

O ser animal necessita do grupo, conduzido pelo instinto gregário, que o protege dos inimigos naturais e dá-lhe vida, estímulos, facultando-lhe intercâmbios. O homem, porém, não prescinde da própria intimidade, dos espaços que ocupa e lhe são fundamentais.

Experimentar mergulhos no *Self,* fruir momentos de solidão, sem buscar isolar-se, são-lhe atitudes saudáveis, renovadoras, que lhe concedem beleza interior para contrabalançar os choques desgastantes da *luta pela vida.*

A busca de realização é sempre pessoal e a meta é igualmente particular, correspondente ao estágio de evolução de cada qual. Não obstante haja similitudes entre as aspirações de criaturas diferentes, os valores anelados possuem características e significados muito especiais, nunca se misturando em uma generalidade comum.

O ser humano é um universo com as suas próprias leis e constituição, embora em harmonia com todos os demais, formando imensa família. Massificado, perde a capacidade,

Amor, Imbatível Amor

ou lhe é impedida, de expressar-se, de anelar e viver, conforme o seu paradigma de aspiração e progresso, pois que, do contrário, é expulso do grupo, onde não mais tem acesso. Marginalizado, deprime-se, aflige-se.

Cabe-lhe, porém, amadurecer reflexões para viver no grupo sem pertencer-lhe; para estar em sociedade sem perder a sua identidade; para encontrar-se neste momento com os demais, porém, não se permitir os arrastamentos insensatos e compulsivos da massificação.

Como lhe é necessário viver em grupo, é-lhe imprescindível ser ele próprio. Sua individualidade deve ser respeitada e mantida, a fim de que experiencie os acontecimentos conforme o seu estado emocional, orgânico e intelectual.

O ser humano detém possibilidades inesgotáveis, que se multiplicam por si mesmas. Quanto mais as desenvolve, tanto mais se apresentam aguardando ocasião de expandir-se.

A aquisição da *consciência de si*, porém, é resultado de um esforço individual concentrado, que a massificação dificulta, porquanto, no conjunto, basta seguir-se o volume no qual se está mergulhado.

Quando defrontado com o Si profundo, o indivíduo opta por controlar e bem direcionar a máquina orgânica em vez de ser conduzido pelos instintos prevalecentes. Esse empenho racional converte-se de imediato em desafio que o engrandece, oferecendo-lhe significado existencial, por cujo termo lutará com denodo.

A massificação permite a liberação negativa e perturbadora dos conflitos do homem que, somados aos dos demais, torna-se um transtorno desenfreado, que mais inquieta, na razão direta em que se exterioriza. Tornando-se difícil a identificação da pessoa conflitiva, em razão do grupo que a absorve, o paciente sente-se à vontade para expandir a sua mazela, mascarando-se e parecendo estar em outra realidade. Ao escamoteá-lo, porém, mais lhe aprofunda as tenazes nos alicerces do inconsciente, aturdindo-se e infelicitando-se.

A massa absorve, devora as expressões individuais e consolida as paixões perversas. A diluição terapêutica do conflito certamente obedece à sua exteriorização conscientizada, anulando-lhe a causalidade e preenchendo o seu espaço com formulações amadurecidas e realizações compensadoras. Tal a resolução, e a ação dinâmica exige humildade, reconhecendo-se o ser frágil e necessitado, por fim, encorajando-se para o cometimento libertador.

Vivendo-se uma atualidade globalizadora, inevitável, pode-se, no entanto, evitar a massificação, preservando-se a individualidade, sendo-se autêntico consigo mesmo, enfrentando as imposições do *ego* e harmonizando-as com o *Self.*

PERDA DO SENSO DE HUMOR

A capacidade para manter o senso de humor nas mais variadas oportunidades resulta do amadurecimento psicológico, propiciador da aquisição de valores relevantes para o perfeito equilíbrio existencial.

Poder encarar as situações vexatórias sem revolta nem autocompaixão, considerando-as fenômenos naturais do processo evolutivo; identificar-se humano e passível de todas as ocorrências; aceitar com bom humor os acontecimentos inusitados e permitir-se sorrir de si mesmo, dos equívocos cometidos e dispondo-se a repará-los, constituem conquistas do autoamor.

Amor, Imbatível Amor

O amor, no seu elenco imenso de expressões, sustenta o senso de humor, facultando ao indivíduo possibilidades enriquecedoras, entre as quais a alegria da vida como quer que esta se apresente; a compreensão das falhas alheias e próprias; a coragem para repetir as experiências fracassadas, até alcançar o êxito e, sobretudo, o preenchimento dos espaços íntimos com realizações edificantes.

A perda do senso de humor, entre outras causas, resulta do estresse e da amargura, do desgaste das emoções e do vazio existencial, colimando em condutas pessimistas, caracterizadas pela revolta sistemática, a agressividade diante de quaisquer incidentes, ou pelo desânimo, pelo desinteresse em torno das ocorrências. Descaracterizam-se, então, os valores perante si mesmo, e as aspirações cedem lugar à acomodação rebelde, conspirando contra as estruturas íntimas.

O senso de humor estimula ao prosseguimento dos objetivos, vencendo dificuldades e obstáculos com o otimismo de quem confia em si, nas próprias possibilidades e na capacidade de renovar-se para não estacionar. Trata-se de um parâmetro para aquilatar-se a condição em que se encontra e as disponibilidades ao alcance para vencer.

A criança, porque ainda não impregnada dos vícios sociais e das lutas malsucedidas, expressa com naturalidade o seu senso de humor, de confiança nos adultos e nas coisas que a cercam. O discernimento advindo dos fatores domésticos e sociais altera-lhe essa faculdade espontânea, tornando-a, às vezes, dissimuladora, interesseira, hábil na forma de conduzir-se para agradar.

É indispensável a aceitação do propósito de agradar-se também, desde que disso não decorra qualquer tipo de prejuízo para si ou para as demais pessoas.

O idealista e o esteta, o santo e o artista, o poeta e todo homem de bem possuem apurado senso de humor que os motiva a insistir e a ambicionar conseguir a meta que perseguem, alegrando-se no que realizam, e quando algo não corresponde às aspirações acalentadas ou resulta negativo, em vez de perturbar-se, ou lamentar, ou desistir, aprendem com o erro um método que deve ser alterado, porque não os levou ao ponto estabelecido.

Este senso de humor constitui riqueza íntima que se deve cultivar sob qualquer circunstância, rejubilando-se com ele e exteriorizando-se onde se esteja, a fim de melhorar os relacionamentos interpessoais, as realizações e favorecendo os resultados de todos os empreendimentos.

A vida moderna, com as suas sofisticadas exigências, propicia muitos conflitos que podem ser evitados mediante a autoconsciência e a vivência do senso de humor, isto é, a forma natural e positiva para encarar as ocorrências do cotidiano. Não se trata do humor que decorre do anedotário, da chalaça, da momice, dos relatos pejorativos e de sentido pífio. Mas dessa autêntica jovialidade para compreender-se e compreender os demais, encarando a existência com seriedade, mas sem carranca, com alegria, mas sem vulgaridade, emocionalmente receptivo às lições e complexidades dos processos da vida.

A perda desse sentido mergulha o indivíduo no fosso da autodestruição, que arquiteta, conscientemente ou não, como fuga existencial ou capricho infantil, de quem sente falta da *mãe superprotetora*, anteriormente encarregada de solucionar todos os problemas do filho, o que deu surgimento à insegurança, ao desequilíbrio, não lhe permitindo o desenvolvimento psicológico.

Amor, Imbatível Amor

A aquisição como a preservação do senso de humor tornam-se essenciais para a vitória do homem sobre os conflitos modernos e o direcionamento para a conquista da plenitude.

Comportamentos autodestrutivos

A falta de iniciativa e o medo constituem fatores relevantes para a instalação dos comportamentos autodestrutivos, decorrência natural da insegurança pessoal e da hostilidade social presente na competitividade da sobrevivência humana.

Conflitos autopunitivos da consciência de culpa não superados apresentam-se de forma patológica, contribuindo para a ausência de autoestima e compulsão autoexterminadora. Nem sempre, porém, assumem a tendência para o suicídio direto, manifestando-se, entretanto, de maneira mascarada, como desinteresse pela existência, ausência de objetivos para lutar, atitudes pessimistas...

Noutras ocasiões, a frequente ingestão das vibrações perniciosas do mau humor, do ressentimento, da rebeldia sistemática, do ódio, do ciúme desenvolve transtornos psíquicos que terminam por desarmonizar as células, comprometer os órgãos e conduzir à morte.

Diversas enfermidades têm causalidade psicossomática, que culminam em verdadeiros desastres orgânicos.

Na raiz de toda doença há sempre componentes psíquicos ou espirituais, que são heranças decorrentes da *Lei de Causa e Efeito*, procedentes de vidas transatas, que imprimiram nos genes os fatores propiciadores para a instalação dos distúrbios na área da saúde.

A vida moderna, geradora de estresses e angústias, por sua vez também desencadeia mecanismos de ansiedade e de fobias várias, que desgastam os núcleos do equilíbrio psicológico com lamentáveis disfunções dos equipamentos físicos.

As pressões contínuas que decorrem do trabalho, dos compromissos sociais, das necessidades econômicas, da tensão emocional e dos impositivos psíquicos desestabilizam o ser humano, que se torna vítima fácil de falsas necessidades de fugas, como recurso de buscar a paz, engendrando comportamentos autodestrutivos.

Desequipado psicologicamente para os enfrentamentos incessantes, e sentindo-se incapaz para acompanhar e absorver o desenvolvimento tecnológico e toda a parafernália dos divertimentos que induzem ao consumismo rigoroso e insensato, o indivíduo de temperamento tímido perturba-se, desistindo de prosseguir, ou se engaja na loucura generalizada, autodestruindo-se igualmente através da excitação e da insatisfação, da competitividade com os seus intervalos de fastio e amargura, buscando, nos alcoólicos, no tabaco, no sexo e nas drogas os estímulos e as compensações para substituírem o cansaço, o tédio e a saturação diante do que já haja conseguido.

A velocidade que assinala os acontecimentos hodiernos supera as suas resistências emocionais, e deixa-se conduzir, a princípio, sem dar-se conta do excesso da carga psíquica, para depois automatizar-se, sem reservar-se períodos para o autorrefazimento, para a renovação, para o encontro consigo mesmo e uma análise tranquila das metas em desenvolvimento, elaborando e seguindo uma escala de valores legítimos, a fim de não consumir as horas e as forças nas buscas impostas pelo contexto social no qual se encontra, e que não lhe correspondem às aspirações íntimas.

Amor, Imbatível Amor

A existência terrena é portadora de valiosa contribuição ética, estética, intelectual, espiritual, e não somente dos impositivos materiais e das satisfações ligeiras do *ego* sem a compensação do *Self.*

São muitos os mecanismos que levam à autodestruição, entre os quais, a fadiga pelo adquirir e poder acompanhar tudo; estar envolvido nas armadilhas criadas pelo mercado devorador, que desencadeia inquietação; a quantidade de propostas perturbadoras pela mídia, que aturde; o excesso de ruídos em toda parte, que desorienta; e a superpoluição nos centros urbanos, que desenvolve os instintos violentos e agressivos, eliminando quase as possibilidades para a aquisição da beleza, do entesouramento da paz, de ensanchas de autorrealização.

O ser humano é a medida das suas aspirações e conquistas, sem o que a mediocridade o vence.

Cada meta desenvolvida propicia a compensação da vitória e o estímulo para novas realizações. Quando isso não ocorre, os insucessos mal-interpretados levam-no à desarmonia, da qual procedem os fatores inibidores para novos tentames, com a desistência do esforço e a perda da capacidade para recomeçar.

É justo não se desfalecer jamais. Toda ascensão impõe sacrifício, toda libertação resulta de esforço.

A ruptura das algemas psicológicas responsáveis pelo desprezo de si mesmo, pelo acabrunhamento e autonegação torna-se de urgência, a fim de favorecer a visão clara da realidade e os meios hábeis para bem vivê-la.

Cada momento propicia renascimento, quando se está vigilante para fazê-lo.

Na impossibilidade de mudar-se a vida moderna, melhor explicando, os fatores negativos que conduzem aos conflitos – desde que existem valiosos contributos para a sua valorização, aquisição do seu significado, crescimento interior e progresso individual como geral – cumpre se criem condições próprias para enfrentá-la, se elaborem programas pessoais para a autorrealização e bem-estar, não se deixando atormentar com as imposições secundárias, desde que percam o significado de que desfrutam...

Exercícios físicos e rítmicos – natação, caminhada, ciclismo, de acordo com a eleição de cada qual –, ao lado de exercícios mentais – boa leitura, música inspiradora, conversações instrutivas, relacionamentos estimulantes, orações, meditação, ajuda ao próximo – são excelentes terapias para a redescoberta do significado existencial e da vida, aceitando sem estresse as imposições contemporâneas, decorrentes do processo da evolução científico-tecnológica.

A existência enriquecida de ideais deve ser utilizada mediante os diversos recursos hodiernos para transformar o tumulto em harmonia, a doença em saúde e a tendência à autodestruição em prolongamento da vida sob a égide do amor que a tudo deve comandar, inspirar e vencer.

Em face da sua presença e vitalidade, o mundo se modifica e o ser se liberta, plenificando-se.

8

QUEDA E ASCENSÃO PSICOLÓGICA

DESPERSONALIZAÇÃO • CONFLITO AFETIVO
• RECUPERAÇÃO DA IDENTIDADE • AUTOAFIRMAÇÃO

Na base de inúmeras perturbações emocionais são encontradas a culpa e a vergonha. A culpa procede de uma peculiar sensação de estar-se realizando algo que está errado e de como esse comportamento afeta as demais pessoas. Esse sentimento proporciona uma correlação entre a capacidade de agir correta ou erradamente. O ato de haver-se equivocado, sem uma estrutura equilibrada do *ego* em relação ao corpo, produz uma distonia que gera sentimentos profundos de amargura e desajuste emocional.

Ao livre-arbítrio cabe o mister de examinar e discernir o que se deve e se pode fazer, daquilo que se pode mas não se deve, ou se deve, porém, não se pode realizar. Ao errar, atormenta-se todo aquele que não possui resistências psicológicas para considerar a própria fragilidade, dispondo-se a novo cometimento reparador.

Quando o *ego* é saudável, enfrenta a situação do erro com naturalidade, porque compreende que os conceitos certo e errado são abstratos, cabendo-lhe discernir o que é de melhores resultados para si e para os outros, portanto, permitindo-se o direito de errar e impondo-se o dever de corrigir.

Qualquer relacionamento humano é estabelecido dentro das diretrizes do prazer e das compensações emocionais que proporciona. Quando a culpa se apresenta, essa estrutura se fraciona, alterando a conduta do indivíduo. No sentimento de culpa apresenta-se um elemento conflitivo que é o ressentimento daquele que erra em relação ao outro a quem feriu, facultando, não raro, uma situação recíproca.

Nos relacionamentos afetivos próximos, o sentimento de culpa é devastador, porque gera ambivalência de conduta: um pai ou mãe que se comporta sob sentimento de culpa em relação a um filho mantém ressentimento desse filho que, por sua vez, responde com o mesmo sentimento em relação ao genitor, e culpa-se por essa atitude, que lhe parece incorreta.

Esse tormento alastra-se no campo emocional, tornando a situação cada vez mais embaraçosa, porque a culpa faz-se maior.

Invariavelmente, no ódio, no ressentimento, no ciúme, o paciente se sente aprisionado no agente da sua reação, por sentimento de culpa, que procura dissimular através de acusações contínuas em relação ao outro.

Quando se está sujeito a um julgamento moral, o conceito emocional que envolve a culpa apresenta-se. Quando esse julgamento é oposto, portanto, negativo, a culpa toma vulto. Por outro lado, se é positivo, tem-se a sensação de encontrar-se sempre certo, o que é perigoso, já que o erro faz parte do processo de aprendizagem e de crescimento intelectual e moral. É graças ao conhecimento que esse sentimento se desenvolve.

Desde a infância, o ser é orientado a descobrir o que é certo e o que é errado, de forma que possa sempre agir

Amor, Imbatível Amor

acertadamente, assim amadurecendo os conceitos morais, conforme o bem ou o mal que deles decorram em relação a si mesmo como ao seu próximo.

Obrigada a participar do drama da vida, a criança é induzida a agir de forma sempre correta, conforme o padrão do seu meio ambiente, os valores éticos, as pressões existentes. Será esse comportamento que dará lugar ao senso de responsabilidade. Entretanto, a ação da responsabilidade pode dar-se sem se fazer acompanhar do sentimento de culpa, somente porque se haja equivocado, considerando-se as imensas possibilidades de recuperação.

Toda vez que alguém com sentimento de culpa julga a própria conduta, se constata que os seus sentimentos se apresentam negativos, prejudiciais, sente vergonha deles e procura suprimi-los, amargurando-se por estar a vivenciá-los, mesmo que sem consciência, autocondenando-se.

Com o acúmulo de conflitos e o represamento dos sentimentos, perde a capacidade de discernir para saber como agir com correção.

Nesse estado a autoaceitação desaparece, dando lugar à repulsa por si mesmo, abrindo espaço para a tristeza, o medo e outros sentimentos perceptuais, que são identificados pelo *ego*.

A vergonha, de algum modo, está mais vinculada às funções do corpo, quando não decorre dos atos morais. A herança antropológica permanece com destaque em muitas funções orgânicas, tais a alimentação e a eliminação, a aparência física, os movimentos... Normalmente são associados à conduta animal, quando grotescos ou vulgares.

Torna-se indispensável que a educação contribua com orientação adequada, de modo a definir-se um comportamento saudável, que evite as associações depreciativas.

Não obstante, a sociedade não se estruturaria, se não existissem esses sentimentos de culpa e de vergonha que, de alguma forma, funcionam como árbitro de muitas ações, contribuindo para o despertar do discernimento.

Despersonalização

O ser humano, embora antropologicamente seja portador de uma herança animal, é, antes de tudo, um Espírito, com possibilidades inimagináveis que se lhe encontram em germe, e que à educação cumpre o mister de despertar e desenvolver.

Em razão da sua realidade transpessoal, a finalidade da sua existência é crescer, alcançando os patamares que lhe estão reservados, por fatalidade evolutiva. No entanto, em face da sua natureza animal, que não poucas vezes desconhece ou que lhe dá predominância, aturde-se, sem saber como avançar.

Se não valoriza a condição na qual se encontra – as exigências do corpo –, faz-se um autômato, porque lhe cumpre vivê-las, educando-as, superando os impulsos dos instintos básicos, para desenvolver os valores espirituais latentes.

Vencendo, a pouco e pouco, os automatismos psicológicos, que vão sendo orientados pelo senso crítico e pela razão, deve conduzir o corpo sem paixão, nem escravidão, realizando-se física e emocionalmente.

O corpo, como é natural, impõe inúmeros anseios e *necessidades*, que fazem parte da sua constituição biológica,

Amor, Imbatível Amor

e devem ser levados em conta, não obstante a sua realidade espiritual ser o comando básico da existência. O *ego*, por consequência, tem suas raízes fincadas nele, e se as mesmas são arrancadas violentamente, corre o perigo de tornar-se esquizoide.

Faz-se necessário, portanto, que seja mantida uma inter-relação entre o passado – animal – e o presente, a fim de que, negando o seu corpo, não se torne um Espírito sem envoltório material, o que lhe tornaria improvável o processo de evolução. Alterando, porém, subvertendo a natureza animal – por falta de consideração pelo Espírito que é – transforma-se em um títere, um demônio, que desconhece os direitos dos outros e somente cultiva o primarismo dos instintos.

A luta travada pela cultura e pela civilização, a fim de que o corpo seja superado, tem propiciado situá-lo em nível mais elevado, em razão do raciocínio, do aprofundamento da consciência, tornando mais radioso e belo o Espírito. Como efeito inevitável, tornou-lhe o corpo mais sensível, mais estético, portador de sensibilidade apurada, de percepção parafísica, alimentando-o com equilíbrio, exercendo-lhe as funções com respeito.

Sem necessidade de agredir o corpo, mediante cilícios nem considerações deprimentes que o denigrem, ele vem recebendo a consideração que merece, em face do valor que representa no processo de elevação mental e moral do ser.

Não obstante esse reconhecimento, vários fatores se apresentam como responsáveis pela despersonalização, tais como os sentimentos de terror, de culpa, que produzem a inibição respiratória e a dos movimentos, enjaulando o paciente nas celas escuras e sem paredes dos conflitos.

Essa conduta produz sensações indescritíveis, que o organismo procura vencer através da morte da sua realidade. O corpo, então, enrijece; a respiração faz-se com dificuldade, e a falta de oxigênio no organismo produz males psicológicos e físicos variados.

A autopercepção é profundamente afetada e os pacientes passam a sofrer emocionalmente sensações de difícil catalogação, que os levam ao desespero.

O eminente Eugen Bleuler, analisando a despersonalização que afeta os indivíduos incursos nessa distorção, considera que os sofrimentos creditados àqueles que lhe são vítimas variam desde surras e queimaduras a espetadas com agulhas, lâminas e punhais em brasa viva; amputações de membros, o semblante deformado... e suplícios indescritíveis são experimentados em um clima de horror crescente, que mais piora a patologia da personalidade.

A ausência de sentimentos responde por esses efeitos, tendo-se em vista que o paciente *matou* o corpo, em mecanismo psicológico inconsciente, para fugir dos sintomas anteriores produzidos pelo terror. Concomitantemente, o portador de esquizofrenia, porque destituído da capacidade de direcionar os sentimentos, tomba no vazio da sua própria realidade.

O indivíduo saudável é aquele que orienta as emoções organizadamente, lutando contra os obstáculos que se lhe apresentam, e que são parte do processo no qual se encontra mergulhado, o que mais lhe desenvolve a capacidade de crescimento e de armazenamento de conhecimentos.

Esse terror, gerador do grave mal, está quase sempre vinculado a condutas vivenciadas na infância, quando se foi vítima da negligência ou da crueldade de pais insensíveis, que promoveram cenas aterradoras e perversas, que o

Amor, Imbatível Amor

paciente atual associou inconscientemente aos fenômenos desafiadores da atualidade.

Comportamentos sexuais promíscuos dos adultos, sob a observação infantil ignorante; expressões agressivas e temerárias que não puderam ser absorvidas nem superadas pela criança; tormentos decorrentes de agressões físicas e morais destituídas de compaixão e respeito, não podendo ser liberadas, por associação conduzem a vítima ao estado de despersonalização.

O corpo passa a ser detestado, e a falta de um conceito, como de uma imagem corporal saudável, empurra-o para o atendimento dos impulsos sexuais mais primários e de maneira promíscua.

Quando o corpo, porém, é recuperado pelo discernimento, e torna-se aceito, ganhando vida e significado, modifica-se-lhe o comportamento sexual para melhor, equilibra-se-lhe a conduta emocional, facilita-se-lhe a aspiração da busca do amor e do afeto, pela necessidade de relacionamento estimulador e prazenteiro.

Muitas vezes, também, os pais, inadvertida ou conscientemente, passam a nutrir pelo descendente um sentimento apaixonado, no qual está oculto o desejo de um relacionamento sexual perverso, anulando-lhe a natural constituição da personalidade, que se deveria ir firmando a pouco e pouco de forma correta.

Essas condutas estranhas e esdrúxulas de muitos pais, com características incestuosas, refletem os seus próprios conflitos e perturbações, que os não auxiliaram no desenvolvimento de um comportamento pessoal saudável, tanto quanto de um desenvolvimento sexual harmônico.

Aturdidos e viciados mentalmente, veem nos filhos somente objetos para o autoprazer, preservando a sua personalidade incompleta e insatisfeita interiormente.

A reconquista da personalidade, no entanto, é possível, mediante a recuperação dos movimentos e da respiração, por meio de exercícios de reflexão e autoanálise, eliminando as associações negativas e buscando-se, racionalmente, direcionar a ocorrência dentro do quadro de valores que possui, sem superestima nem mecanismo traumatizante.

A aquisição da personalidade equilibrada está no relativismo do *ego* para com o *Self*, nas aspirações do corpo para com as da mente, no processo de busca de valores e de vivências geradores de alegria e portadores de paz.

Dentro do quadro da psicogênese da despersonalização, é-nos possível também adir que muitos aspectos desse terror procedem de vivências em outras experiências carnais, passadas, que imprimiram suas marcas tão profundamente, que somente na juventude e na idade adulta o inconsciente consegue liberar em forma de clichês e recordações que passam a confundir e a atormentar, aprisionando os seus agentes nesses cárceres da respiração insuficiente e dos movimentos paralisados.

Todos os atos que são praticados pela crueldade, pela insensatez e vilania, mesmo quando ocorre o fenômeno biológico da morte, não desaparecem, porque os danos morais continuam gerando consequências até que o seu causador se recupere e reorganize a paisagem moral afetada.

Conhecendo a própria debilidade, e consciente do abuso perpetrado, o ser transfere de uma para outra experiência carnal a carga das responsabilidades, sendo compulsoriamente convidado à regularização. Essas reminiscências

Amor, Imbatível Amor

emergem como consciência culpada, terrores sem próxima justa causa, ansiedade, atitudes autopunitivas e autodestrutivas, que lhe alteram o comportamento pessoal, modificando totalmente a personalidade, que fica marcada.

Quanto mais se consiga autoconscientização das responsabilidades para com o corpo e para com o Espírito, mais facilmente se fazem a luta pela preservação da saúde física e mental e as experiências propiciadoras do progresso moral e cultural, que contribuem para a existência realmente feliz.

CONFLITO AFETIVO

Na área das manifestações afetivas, o desenvolvimento da percepção deve dar-se de maneira espontânea, sem qualquer tipo de manipulação dos sentimentos.

Inata, em a criatura humana, a afetividade é fundamental para um desenvolvimento emocional saudável, respondendo pela felicidade e autorrealização do ser.

A imaturidade dos adultos, não raro, desde cedo, por mecanismo de transferência de sentimentos conflitivos, procura adquirir o afeto da criança mediante a sedução, que conduz, no íntimo, algum distúrbio da libido. Naturalmente, esses, que assim se comportam, como muitos pais, não têm conhecimento da relação subjacente de conotação sexual.

Incapaz de compreender a sedução de que se faz objeto, a criança se sente impossibilitada de exercer o critério da livre escolha, ou de fazer exigências naturais para a conquista do que lhe resulta em prazer. Quando o consegue, descobre a maneira de chantagear, passando a mascarar os seus sentimentos e derrapando em interesses subalternos. Essa conduta propõe um dilema no processo psicológico dela, que é a dificuldade de como agir, de forma que a si mesma se agrade, sem desatender àquele que lhe proporciona prazer, embora por meio de astúcia, de ser livre e escolher a própria satisfação de maneira segura.

Nesse jogo de afetividade doentia, surge a rejeição como mecanismo punitivo, no qual o medo de ser descoberto pelo sentimento perturbador que mantém, pune o ser que seduz, por haver-se tornado instrumento de gozo e de possível sofrimento.

Esse distúrbio resulta da carência que experimentam alguns adultos, que transferem, de imediato, para a prole, essa necessidade afetiva, passando a seduzir os filhos, não raro, amando-lhes os corpos, o contato físico, em razão da repulsa que sentem pelo próprio.

Conduta de tal natureza, além de afligir a criança e perturbar-lhe o desenvolvimento psicológico saudável, contribui para que surjam conflitos afetivos. Poderá manter ojeriza pelo corpo, caso tenha observado o dos pais, especialmente se são exibicionistas, e o apresentam com o pretexto de darem início a uma educação sexual, que ocorre no momento inadequado. A criança pode ser tomada de pavor ao verificar como ficará na idade adulta, passando a realizar um conflito castrador, notando a ausência de beleza no corpo adulto. Porque ainda é incapaz de entender estética e harmonia, a exibição física dos pais ou de outro adulto qualquer poderá provocar um sentimento de anulação do próprio corpo, passando a abandoná-lo, mesmo que inconscientemente.

O esquizoide, por exemplo, nega o corpo e assume, quase sempre, uma postura infantil e de incapacidade.

Somente o amor real, destituído de interesses perturbadores, consegue irradiar a luz da harmonia entre as criaturas. Será ele que oferecerá recursos para uma conduta saudável, pela força intrínseca de que é portador, anulando a possibilidade da instalação de conflitos.

Mesmo o esquizoide não se encontra imune ao amor. Tem dificuldade de amar, é certo, porém é receptivo ao amor. Quando este se lhe acerca, transforma-o, o *ego* nele predominante abandona sua hegemonia, facultando que fique à disposição da outra pessoa.

Nesse estado, aquele que ama, não somente vive um sentimento de união com o ser amado, como também com tudo e com todos, em um estado de perfeita identificação. Alteram-se, ante as suas emoções, os painéis da natureza, e a vida flui de forma generosa, harmônica.

Indispensável que a conduta se encontre estabelecida entre parâmetros que definam como agir e como vivenciar as próprias experiências.

O conhecimento oferece recursos hábeis para o cometimento. No entanto, a espontaneidade não deve ser banida dessa conquista, em razão dos benefícios que proporciona. Uma atitude natural é muito mais valiosa do que aquela que se fez estruturar artificialmente, oferecendo uma postura robotizada.

Por isso, o treinamento não pode eliminar a possibilidade das reações normais, o que tornaria os gestos totalmente destituídos de encantamento e naturalidade.

Certamente, se deve pensar antes de agir, particularmente quando se é defrontado por circunstâncias e ocorrências importantes. Todavia, o gesto afetivo espontâneo consegue muito mais do que as artimanhas e elaborações do intelecto. Ademais, o sentimento puro irradia-se e conquista, enquanto a atitude estudada oferece gentileza, mas não espontaneidade.

O conhecimento exerce um grande valor na conduta afetiva, no entanto, o estabelecimento de regras presentes em manuais de como conquistar pessoas, de como mantê-las vinculadas, constitui um perigo para a própria expressão do amor, que se torna artificial, desinteressante, em razão de considerar-se o outro como objeto de uso, de exploração que, após preencher a finalidade, pode, a qualquer momento, ser deixado à margem.

Destacam-se dois elementos na área da afetividade que não podem ser desconsiderados: o conhecimento e o sentimento. O conhecimento amplia os horizontes, mas o sentimento vivencia-os. O conhecimento liberta, porém o sentimento dá calor e vida.

Não seria fácil estabelecer uma escala de valores para demonstrar qual dos dois é mais importante na estruturação da vida afetiva. Deve-se, no entanto, ter em conta que o amor trabalhado mediante fórmulas é destituído de luz e de calor, com duração efêmera, podendo saturar com rapidez.

Por outro lado, o sentimento sem controle escraviza, perturbando a função afetiva com exigências descabidas, principalmente se o *ego* comanda a conduta.

Ideal, portanto, que o ato afetivo seja espontâneo, sem fórmulas, com respeito e doação, com calor e sem ardência, o que se consegue mediante a educação do sentimento.

Costuma-se afirmar que o coração não pode ser educado, o que é verdade, no entanto, podem ser orientadas as explosões do *ego* como necessidade afetiva.

Seria desejável que essa proposta de educação dos sentimentos, começada no lar, prosseguisse na escola, de forma

Amor, Imbatível Amor

que a criança pudesse experienciar a afetividade sem afetação, sem sedução, evitando-se, por consequência, o fenômeno da rejeição.

Nesse programa educativo, seria viável que se retomasse a espontaneidade, ao lado do currículo estabelecido sem rigidez, para que se logre, na competitividade do grupo social, a produção e a conquista de recursos financeiros compensadores para o *ego* e realizadores para o *Self.*

Todo recurso de sedução é prejudicial, em razão da falta de autenticidade afetiva, propondo conflitos perfeitamente dispensáveis.

RECUPERAÇÃO DA IDENTIDADE

A identidade é conquista valiosa do ser, através da qual se afirma e se caracteriza no grupo social, de forma a existir conscientemente. Não se trata de uma herança psicológica, mas de um desenvolvimento gradual que se inicia no momento em que se nasce, e se manifesta pelo primeiro choro, que lhe expressa desconforto de qualquer natureza. Logo seja atendido, volta a silenciar, demonstrando que o motivo desagradável cessou. Muitas vezes, são a falta do corpo materno, o frio ou o calor, a fome ou a dor, que se apresentam, produzindo a sensação desagradável e chamando a atenção para si.

Na juventude como na idade adulta, revela-se pelo conhecimento da sua realidade, por imperiosa necessidade de estar consciente e de enfrentar com segurança as situações mais variadas possíveis. Nessa fase, a experiência emocional é quase sem sentido e os sentimentos se apresentam confusos, sem direcionamento, caracterizando a ausência de identidade. É certo que, no inconsciente, de alguma forma, todos possuem uma identidade. No entanto, vários fatores adstritos ao Eu profundo podem apresentar-se como ausência dela, especialmente quando trazido o conflito de reencarnação anterior.

Nesse caso, a partir do renascimento carnal, à medida que a identidade for sendo formada, o desenvolvimento do *ego* não se faz normalmente com expressão saudável.

Há três fatores que contribuem para um bom e bem-direcionado senso de identidade: percepção do desejo, reconhecimento da necessidade e consciência da sensação corporal.

Experimentar desejos e saber direcioná-los é de suma importância no balizamento da identidade, porque para um paciente que não os possua, difícil se torna distinguir exatamente o que quer, exclamando, no seu conflito, que não o sabe, que nada sente, nem mesmo o de que necessita, por mais importante seja. Há uma espécie de vácuo emocional, com anulação da capacidade de querer. Quando isso não se dá, mascara as aspirações e entrega-se a sensações e buscas que não correspondem às suas necessidades reais.

O reconhecimento da necessidade resulta numa bem urdida busca de solução, em bom encaminhamento para alcançar o que deseja. Faculta-lhe distinguir as próprias emoções de tristeza, de alegria, de aborrecimento ou de afetividade. Invariavelmente, esses sentimentos ficam bloqueados na ausência do senso da identidade, tornando o paciente um autômato desmotivado de novas e constantes realizações, bastando-se com o conseguido, sem a experiência do prazer dinamizador de conquistas desafiadoras.

A consciência da sensação física é adquirida a partir do momento do parto, quando se expressam por automatis-

Amor, Imbatível Amor

mos as primeiras necessidades, afirmando, através do choro, a realidade existencial e a sua presença como ser consciente. No entanto, essa ocorrência dá-se fora do limite da consciência, em estado ainda embrionário, incapaz de realmente distinguir, porquanto as suas funções seletivas se irão desenvolver a pouco e pouco, tornando-se pujantes e ativas.

À medida que vai crescendo, as sensações corporais se tornam mais imperiosas, como é natural, graças, também, às necessidades mais volumosas e aos desejos mais característicos, terminando num estado de lucidez mais profunda, a exteriorizar-se por sentimentos mais definidos. Essa é a marcha natural da aquisição do senso de identidade. E quando assim não ocorre, desaparece a motivação para o crescimento interior, a valorização do corpo e da oportunidade da vida, necessitando de terapia conveniente, a fim de ser adquirido.

Esse *ego* fracionado, enfermo, não conseguiu o desenvolvimento harmônico, que é viável quando a percepção e a sensação se unem ao sentimento numa proposta de integração.

É muito comum, no relacionamento psicológico, a aparência de identidade, mediante representações de papéis que agradam ao *ego*. No início houve a família que participou da exibição em cena, quando a criança exteriorizava aparência imitando o conhecido, que lhe chegava ao alcance, o que era percebido pelos sentidos. À medida que cresce, torna-se necessária outra audiência, mudando-se de cenário, mas não de conteúdo. E como é natural, em qualquer representação o tédio termina por predominar, ao tempo em que surgem os desencantos, em face da ausência de autenticidade. Após as decepções, buscam-se novas personagens e novos auditórios.

Quando essa situação se faz presente nos relacionamentos mais próximos, entre cônjuges, familiares, a representação perde o seu caráter de impressionar, assumindo a postura de uma farsa que não convence e mui facilmente se desvanece. Ocorre que, naqueles que estão sempre representando, existe um imenso vazio existencial, e, por falta de objetivo, um desespero que arde interiormente, não permitindo tranquilidade.

A representação gera uma distorção na área da autopercepção, porque somente são captadas as situações e experiências mais próximas do ato, o que evita uma boa formulação de respostas aos desafios existenciais.

O indivíduo, nessa situação, acredita no valor da sua identidade confusa, fugindo para as fatalidades do destino, com que se compensa, informando que tudo quanto lhe ocorre desastrosamente é resultado da má sorte como do infortúnio. Entrega-se a queixas sistemáticas e descobre um mundo que se apresenta hostil, dificultando-lhe a marcha, a felicidade.

É mais fácil a acusação do que a reparação, que o levaria à busca de solução terapêutica para o distúrbio e à vivência do amor, para ampliar a percepção de sua realidade.

A formação do senso de identidade é também recurso para a instalação do caráter. Quando não se possui uma faculdade, a outra se apresenta deficitária, em razão da ausência de parâmetros para defini-las no ser turbado e tedioso.

Para que contribua em favor da aquisição do senso de identidade, o paciente será conduzido à análise de que os seus atos não necessitam ser aprovados sempre, conforme ocorria na infância; ter medo das repressões e reprovações sociais, porquanto ele também é membro da sociedade;

Amor, Imbatível Amor

experimentar culpa a respeito do seu corpo, dos seus sentimentos de natureza sexual, tendo direito a apresentar também sentimentos negativos, sem que isso constitua sinal de vulgaridade ou de desajuste emocional.

Um senso de identidade normal transita entre os acertos e os erros, sem autoexaltação nem autopunição, enfrentando as situações como parte do processo evolutivo que todos encontram pelo caminho.

Ao identificar-se com a vida, experienciando as ocorrências com ambições bem direcionadas, o indivíduo cresce psicologicamente, na razão direta em que desenvolve o corpo e a mente se amplia, ensejando-lhe tirocínios corretos e impulsos estimuladores para a existência.

A perda ou a ausência de identidade confunde e atormenta, deixando o paciente à mercê dos fenômenos automáticos, pesando na economia da sociedade, sem direcionamento nem significado.

O dever dos pais, em relação aos filhos, na moldagem da identidade, é muito grave, porquanto, de acordo com a conduta mantida, aquela será plasmada dentro dos padrões vigentes no lar. As castrações e as inibições, os conflitos não superados e as necessidades emocionais não satisfeitas contribuem para o transtorno da identidade, gerando a necessidade da projeção do papel dos pais nas outras pessoas. A criança é um ser imitador por excelência, afinal, tudo quanto aprende decorre, na sua maioria, da capacidade de imitar, de memorizar, de reflexionar. Imitar faz parte do processo de desenvolvimento psicológico saudável. Todavia, adquirir a identidade do outro, por que lhe foi plasmada, oferece uma situação patológica. Quando se imita, adquire-se capacidade de discernimento para saber-se que tal não passa de uma experiência, no entanto, quando se identifica e assimila, perde-se a liberdade de pensar e de agir, buscando sempre a fonte de ligação para prosseguir no desempenho do papel assumido.

A imitação ocorre em relação a tudo e a todos, enquanto a identificação perturbadora é sempre fruto de pais exigentes, ameaçadores, que se tornam imagens dominantes na mente infantil. Para enfrentá-los, o indivíduo se torna igualmente insensível, às vezes cruel, adquirindo essas características perturbadoras que foram incorporadas ao seu comportamento. Essa ocorrência pode ser inconsciente, graças ao que nada pode ser produzido em favor do equilíbrio pelo próprio paciente, levando-o a vivenciar experiências que se transmudam em necessidades dos outros.

Autoafirmação

As raízes da autoafirmação do indivíduo encontram-se na sua infância, quando os movimentos automáticos do corpo são substituídos pelas palavras, particularmente quando é usada a negativa. Ao recusar qualquer coisa, mediante gestos, a criança demonstra que ainda não se instalaram os pródromos da sua identidade. No entanto, a recusa verbal, peremptória, a qualquer coisa, mesmo àquelas que são agradáveis, denotam que está sendo elaborada a autoafirmação, que decorre da capacidade de escolha daquilo que interessa, ou simplesmente se trata de uma forma utilizada para chamar a atenção para a sua existência, para a sua realidade.

Trata-se de um senso de identificação infantil, sem dúvida, no qual a criança, ainda incapaz de discernir e entender, procura conseguir o espaço que lhe pertence, dessa

Amor, Imbatível Amor

maneira informando que já existe, que solicita e merece reconhecimento por parte das demais pessoas que a cercam.

Quando a criança concorda, afirmando a aceitação de algo, age apenas mecanicamente e por instinto, enquanto, utilizando-se da negativa, também denominada *conceito do não*, dá início à descoberta do senso de si mesma, do seu *Self*, passando, a partir desse momento, a exteriorizá-lo, afirmando o NÃO, mesmo quando sem necessidade de fazê-lo. É a sua maneira de autoidentificação que, não raro, parece estranha aos adultos menos conhecedores dos mecanismos da mente infantil.

Quando ocorre a inibição da negativa – o que é muito comum –, esse fenômeno dará surgimento a alguém que, no futuro, não saberá exatamente o que deseja da vida, experimentando uma existência sem objetivo, que o leva a ser indiferente a quaisquer resultados, e, por cuja razão, evita expressar-se negativamente, deixando-se arrastar indiferente aos acontecimentos, assim desvelando o estado íntimo de inibição, de timidez e de recusa de si mesmo. Com o tempo, essa situação se agrava, levando-o a um estado de amorfia psicológica.

O *Self*, por sua vez, se estrutura e se fixa através do sentimento, e quando este se encontra confuso, sem delineamento, a autoafirmação se enfraquece e a capacidade de dizer NÃO perde a sua força, o seu sentido.

A autoafirmação se expressa especialmente no desejo de algo, mediante duas atitudes que, paradoxalmente, se opõem: o que se deseja e o que se rejeita.

Em um desenvolvimento saudável da personalidade, sabe-se o que se quer e como consegui-lo, o que se torna decorrência inevitável da capacidade de escolha. Quando tal não ocorre, há surgimento de uma expressão esquizoide, na qual o paciente foge para atitudes de submissão receosa e de revolta interior. Silencia e afasta-se do grupo social, que passa a ser visto com hostilidade, por haver-se negado a penetrá-lo, alegando, no entanto, que foi barrado... A sua óptica distorcida da realidade trabalha em favor de mecanismos de transferência de culpa e de responsabilidade.

Mediante essa conduta, o enfermo se nega a liberação dos conflitos, mantendo-se em atitude cerrada, por falta do senso de autoafirmação. O seu é o conceito falso de que não é bem-vindo ao grupo que ele acredita não o aceitar, quando, em verdade, é ele quem o evita e se afasta desse grupo.

À medida que vão sendo liberados os sentimentos perturbadores e negativos que se encontram em repressão, os desejos de afetividade, de expressão, de harmonia, manifestam-se, direcionando-o para valiosas conquistas.

Com o desenvolvimento da capacidade de julgar valores, surgem as oportunidades de autoafirmação, em face da necessidade de escolhas acertadas, a fim de atender aos desejos de progresso, de crescimento ético-moral e de realização interior.

Por meio de exercícios mentais, nos quais se encontrem presentes as aspirações elevadas e de enobrecimento, bem como através de movimentos respiratórios e físicos outros, para liberar o corpo da *couraça* dos conflitos que o tornam rígido, a autoafirmação se fixa, propiciando um bom relaxamento, que se faz compatível com o bem-estar que se deseja.

Com o desenvolvimento intelecto-moral da criança, passando pela adolescência e firmando os propósitos de autoconquista, mais bem delineadas surgem as linhas de

Amor, Imbatível Amor

segurança da personalidade, que enfrenta os desafios com tranquilidade e esperanças renovadas.

Nesse particular, a vontade desempenha importante papel, trabalhando em favor de conquistas incessantes que contribuem para o amadurecimento psicológico, característica vigorosa da saúde mental e moral.

Em cada vitória alcançada através da vontade que se faz firme cada vez mais, o ser encontra estímulos para novos combates, ascendendo interiormente e afirmando-se como conquistador que se não contenta em estacionar nos primeiros patamares defrontados durante a escalada de ascensão. Desejando as alturas, não interrompe a marcha, prosseguindo impertérrito no rumo das cumeadas.

Esta é a finalidade precípua do desenvolvimento emocional, estabelecendo diretrizes que definam a realidade do ser, que se afirma mediante esforço próprio. Em tal cometimento, não podem ficar esquecidos o contributo dos pais, da família, da sociedade, e as possibilidades inatas, que remanescem do seu passado espiritual.

Estando na Terra, o Espírito, para aprender, reparar e evoluir, nele permanecem as matrizes da conduta anterior, facultando-lhe possibilidades de triunfo ou impondo-lhe naturais empecilhos que lhe cumpre superar.

Quando a autoafirmação não se estabelece, apresentando indivíduos psicologicamente dissociados da própria realidade, tem-se a medida dos seus compromissos anteriores fracassados e da concessão que a Vida lhe propicia por segunda vez para regularizá-los.

Cumpre, portanto, ao psicoterapeuta, o desenvolvimento de uma visão profunda do *Self*, de forma especial, em relação ao ser eterno que transita no corpo em marcha evolutiva.

Somente assim, se poderá entender racionalmente o porquê de determinados indivíduos iniciarem a autoafirmação nos primeiros meses da infância, enquanto outros já se apresentam fanados, incapazes de lutar em favor da sua realidade, no meio onde passará a experienciar a vida.

A sociedade marcha inexoravelmente para a compreensão do Espírito eterno que o homem é, do seu processo paulatino de evolução através dos renascimentos, herdeiro de si mesmo, que transfere de uma para outra etapa as realizações efetuadas, felizes ou equivocadas, qual aluno que soma experiências educacionais, promovendo-se ou retendo-se na repetição das lições não assimiladas, com vistas à conclusão do curso.

A Terra assume sua condição de escola que é, trabalhando os educandos que nela se encontram e propiciando-lhes iguais oportunidades de evolução e de paz.

9

ALGOZES PSICOLÓGICOS

TIMIDEZ • INIBIÇÃO • ANGÚSTIA
• ABANDONO DE SI MESMO

O processo da evolução antropossociológica do ser humano não se fez acompanhar pelo desenvolvimento psicológico, que deveria, pelo contrário, precedê-lo.

Sendo um ser essencialmente constituído pela energia pensante, ela teria predominância no comportamento, imprimindo suas necessidades mais vigorosas, que se transfeririam para o cérebro, por ela modelado, passando a conduzir a maquinaria física, como consequência das suas expressões psicológicas. Não obstante, em razão da sua estrutura original, simples, destituída de complexidades, esse desabrochar de valores torna-se lento, fixando cada conquista, de forma que a próxima se apoie na anterior, que lhe passa a constituir alicerce psíquico.

Os sentimentos, por isso mesmo, surgem, a pouco e pouco, arrebentando a concha na qual se aprisionam em latência, apresentando-se como impulsos e tendências que se comportarão no futuro como hábitos estruturados, formadores de novos campos vibratórios a se tornarem ação.

O desconhecimento de determinadas experiências inibe-o psicologicamente, permitindo que verdadeiros algozes psicológicos tomem campo no comportamento, que se transformam em conflitos perturbadores, inibidores, trabalhando para a formação de existências fragmentadas.

Às vezes, se apresentam difíceis de remoção imediata, exigindo terapia demorada e grande esforço do seu portador, caso esteja realmente interessado na conquista da saúde emocional.

Em vez de assim agir, pelo contrário, o indivíduo refugia-se na distância, evitando compromissos sociais e emocionais que acredita não saber administrar, tornando a situação mais complexa na razão direta em que evita os contatos saudáveis, que podem arrancá-lo da situação alienante.

Desequipado de coragem e de estímulos para vencer-se e superar os algozes, mais se aflige, reflexionando negativamente, e deixando-se embalar pelas mórbidas ideias da autocomiseração ou da revolta, da autopunição ou do pessimismo, que passam a constituir-lhe companheiros constantes da conduta interior, que externa como amargura, insegurança, mal-estar.

Os mecanismos da evolução constituem força propulsionadora do desenvolvimento dos germes que dormem em latência, aguardando os fatores propiciatórios ao seu desempenho.

A princípio, de forma incipiente, depois com mais vigor, por fim, com espontaneidade, que se torna característica da personalidade, abrindo mais espaços para a aquisição dos valores mais elevados da inteligência e do sentimento.

Para a eficiência do afã deve ser empreendida uma bem-direcionada luta interior, firmada em propósitos de relevância em relação ao futuro, e de superação das marcas do passado.

Amor, Imbatível Amor

A constituição de cada indivíduo mantém os sinais de todo o processo de crescimento, tal como ocorre com todos os seres em a Natureza.

Na Botânica, a cor das folhas e flores, o sabor dos frutos, mesmo que da mesma espécie, expressam as caraterísticas do solo no qual se encontram. O mesmo ocorre entre os animais, que são resultado das condições climáticas e ambientais, da alimentação e do tratamento que recebem, variando de expressões conforme os lugares onde se movimentam.

Muitos caracteres psicológicos têm a ver com os fatores mesológicos e suas implicações na conduta.

Assim, os algozes psicológicos que afetam um expressivo número de pessoas aguardam decisão e ajuda para arrebentarem as suas amarras retentivas, que impedem a plenificação da criatura.

TIMIDEZ

Um relacionamento infantil insatisfatório com a família, particularmente em referência à própria mãe que se apresente castradora ou se torne superprotetora, termina por impedir o desenvolvimento psicológico saudável do indivíduo, que estabelece um mecanismo de timidez a fim de preservar-se dos desafios que o surpreendem a cada passo.

Submetido a uma situação constrangedora por impositivo materno, que não lhe permite espaço para autenticidade, sente-se castrado nas suas aspirações e necessidades, preferindo sofrer limitação a assumir atitudes que lhe podem causar mal-estar e aflições. Por outro lado, superprotegido, sente anulada a faculdade de discernimento e ação, toda vez que defronta uma situação que exige valor moral e coragem.

Refugiando-se na timidez, disfarça o orgulho e o medo de ser identificado na sua impossibilidade de agir com segurança, protegendo-se das incomodidades que, inevitavelmente, o surpreendem.

Como consequência, o desenvolvimento da libido faz-se incompleto, dando nascimento a limitações e receios infundados quanto à própria atividade sexual, o que se pode transformar em conflito de maior profundidade na área do relacionamento interpessoal, assim como na autorrealização.

A timidez pode apresentar-se como fenômeno psicológico normal, quando se trata de cuidado ante enfrentamentos que exigem ponderação, equilíbrio e decisão, dos quais resultarão comprometimentos graves no grupo social, familiar, empresarial, de qualquer ordem. Poder-se-ia mesmo classificá-la como um mecanismo de prudência, propiciador de reflexão necessária para a adoção de uma conduta correta.

Igualmente, diante de situações e pessoas novas, em ocorrências inesperadas que exigem uma rápida resposta, temperamentos existem que se precatam timidamente, sem que haja, de forma alguma, exteriorização patológica na conduta, tornando-se, portanto, normal.

Todavia, quando se caracteriza como um temor quase exagerado ante circunstâncias imprevistas, produzindo sudorese, palpitação cardíaca, colapso periférico das extremidades, torna-se patológica, exigindo conveniente terapia psicológica, a fim de ser erradicada ou diluída a causalidade traumática, através de cujo método, e somente assim, advirá a superação do problema.

Amor, Imbatível Amor

O indivíduo tímido, de alguma forma, é portador de exacerbado orgulho que o leva à construção de comportamento equivocado. Supõe, inconscientemente, que, não se expondo, resguarda a sua realidade conflitiva, impedindo-se e aos outros, impossibilitando uma identificação profunda do seu *Self*. Noutras vezes, subestima-se e a tudo aquilo quanto poderia induzi-lo ao crescimento psicológico, à aprendizagem, a um bom relacionamento social, e torna-se um fardo, considerando que as interrogações que poderia propor, os contatos que deveria manter não são importantes. Na sua óptica psicológica distorcida, o que lhe diz respeito não é importante, tendo a impressão de que ninguém se interessa por ele, que as suas questões são destituídas de valor, sendo ele próprio desinteressante e sem significado para o grupo social. A timidez oculta-o, fazendo-o ausente, mesmo quando diante dos demais.

De certo modo, a timidez escamoteia temperamentos violentos, que não irrompem, produzindo distúrbios externos, porque se detêm represados, transformando-se em cólera surda contra as outras pessoas, às vezes contra si próprio.

É de considerar-se que essas são reações infantis, em face do não desenvolvimento e amadurecimento psicológicos.

Nesse quadro mais grave, o conflito procede de experiência pretérita, que teve curso em vida passada, quando o paciente se comprometeu moralmente e asfixiou, no silêncio íntimo, o drama existencial, que embora desconhecido das demais pessoas, se lhe gravou nos recessos do ser, transferindo-se de uma para outra reencarnação, como mecanismo de defesa em relação a tudo e a todos que lhe sejam estranhos. No íntimo, o orgulho dos valores que se atribui e a presença da culpa insculpida no inconsciente geraram-lhe o clima de timidez em que se refugia, dessa forma precatando-se de ser acusado, o que lhe resultaria em grave problema para a personalidade.

A timidez é terrível algoz, por aprisionar a espontaneidade, que impede o paciente de viver em liberdade, de exteriorizar-se de maneira natural, de enfrentar dificuldades com harmonia interna, compreendendo que toda situação desafiadora exige reflexão e cuidado. Uma vida saudável caracteriza-se também pela ocorrência de receios, quando se apresentam problemas que merecem especial atenção.

Como todos desejam alcançar suas metas, que são o sentido existencial a que se afervoram, a maneira cuidadosa e tímida, não agressiva nem precipitada, expressa oportuno mecanismo de preservação da intimidade, da realidade, do processo de evolução.

A ausência da timidez não significa presença de saúde psicológica plena, porque, não raro, outros algozes do comportamento desenham situações também críticas que necessitam ser orientadas corretamente.

Nesse sentido, a extroversão ruidosa, a comunicabilidade excessiva constituem fenômeno perturbador para o paciente que pretende, dessa maneira, ocultar os seus sentimentos conflitivos, desviando a atenção da sua realidade para a aparência, ao mesmo tempo diluindo a necessidade de valorização, por saber-se conhecido, desejado, em face do comportamento irrequieto que agrada ao grupo social com o qual convive.

Realizando-se, por sentir-se importante, descarrega os medos na exteriorização de uma alegria e jovialidade que não são autênticas.

Amor, Imbatível Amor

Observando-se tal conduta, logo se perceberá uma grande excitação e preocupação em agradar, em chamar a atenção, em tornar-se o centro de interesse de todos, dificultando a comunicação natural do grupo. Esse tipo de exibicionismo é pernicioso, porque o paciente distrai os outros e continua em tensão permanente, o que se lhe torna um estado normal, no entanto, enfermiço.

A timidez pode ser trabalhada também mediante uma autoanálise honesta, de forma que o paciente deva considerar-se alguém igual aos outros, como realmente é, nem melhor, nem pior, apenas diferente pela estrutura da personalidade, pelos fatores sociais, econômicos, familiares, com os quais conviveu e que o modelaram. Ademais, deve ter em vista que é credor de respeito e de carinho como todas as outras pessoas, que tem valores, talvez ainda não expressados, merecendo, por isso mesmo, fruir dos direitos que a vida lhe concede e lhe cumpre defender.

Toda fuga leva a lugar nenhum, especialmente no campo emocional. Somente um enfrentamento saudável com o desafio pode libertar do compromisso, em vez de transferi-lo para outra ocasião, em que lhe serão acrescidos os inevitáveis juros, que resultam do adiamento, quando, então, as circunstâncias serão diferentes e já terão ocorrido significativas alterações.

Uma preocupação que deve vicejar no íntimo de todos os indivíduos, tímidos ou não, é que não se devem considerar sem importância ou tão significativo que lhe notarão a presença ou a ausência.

Assim, uma conduta tranquila, caracterizada pela autoconfiança e naturalidade nas várias situações proporciona bem-estar e conquista da espontaneidade.

INIBIÇÃO

A timidez excessiva disfarça o orgulho dominador. Algumas vezes, esse estado decorre de um mecanismo inibitório fixado na personalidade, que se transformou em comportamento doentio.

O indivíduo que se atormenta, vitimado pelo complexo de inferioridade, mesmo que camuflado, evita chamar a atenção, embora interiormente viva um vulcão de ansiedades e aspirações que asfixia aflitivamente, tomando posições isolacionistas, de onde observa o mundo exterior e as outras pessoas, considerando-as levianas, porque alegres; insensatas, porque espontâneas; ou exibicionistas, porque extrovertidas.

Experimentando a castração emocional que o impede momentaneamente de viver o clima social em que se encontra, sente-se rejeitado, quando é ele próprio quem se recusa a participar das atividades nas quais todos se encontram. Não apenas isso, mas também se utiliza do falso recurso de justificação, supondo-se isolado, porquanto ninguém se interessa pela sua pessoa, quando, em verdade, por sua vez, tampouco se empenha em tomar conhecimento do que se passa fora de si, ou mesmo demonstrar qualquer interesse pelo seu próximo. Como é natural, não se apresentando receptivo, em razão do respeito que todos se devem mutuamente, as outras pessoas poupam-se ao prazer, ou não prazer, de buscá-lo para manter qualquer tipo de intercâmbio fraternal ou afetivo.

A inibição, essa resistência psicológica íntima, a pessoas, acontecimentos e condutas, é causa de muitos males na área da emoção. Empurra o paciente para reflexões pessimistas e autodestrutivas como forma de autorrealização doentia.

Amor, Imbatível Amor

Sentindo-se não aceito, acumula azedume e atormenta-se, frustrando as inumeráveis possibilidades de alegria e comunicação.

Quase sempre esse estado mórbido decorre de uma infância infeliz, na qual conviveu com pais autoritários, familiares rebeldes e agressivos, sentindo-se empurrado para o ensimesmamento, em face do receio de ser punido por qualquer coisa acontecida, mesmo quando não a houvesse praticado, assumindo postura de vítima que se esforça para agradar sempre, estar permanentemente bem com todos, sem ser incomodado pelas ocorrências ou pelas criaturas.

Essa conduta também expressa alta dose de egoísmo, que se impõe fórmulas de vivência individualista, reacionária contra tudo quanto lhe parece ambiente hostil e de difícil penetração.

Não possuindo resistência psicológica para sobrepor-se à severidade doméstica, recua para a interiorização, dando asas à imaginação pessimista e perturbada, naufragando no estado de inibição.

Outras vezes, a conduta insensível dos pais, especialmente da mãe – com quem mais se convive no período infantil – fez o atual paciente sentir-se rejeitado, transformado em incômodo que era para os genitores, como se a sua presença lhes constituísse um fardo, eliminando-o, pela indiferença, do grupo familiar.

Essa mesma ocorrência pode também se originar no convívio com outros adultos e apresentar as suas primeiras marcas no relacionamento com outras crianças que, incapazes de compreender a ocorrência, criticam, expulsam dos seus folguedos, agridem todos aqueles que as desagradam... Ante essa reação dos companheiros de jogos e brincadeiras, agravam-se os conflitos, que se transformarão em conduta de inibição enfermiça.

O ser existencial, todavia, é, antes de quaisquer outras considerações, um Espírito imortal, herdeiro de todas as realizações que lhe assinalam a marcha ancestral.

Viajor de muitas experiências em roupagens carnais diferentes e múltiplas, é o arquiteto de glórias e desaires através do comportamento ético-moral, social, religioso, político, artístico e de qualquer outra natureza, por cujas faixas transitou no curso da sua evolução.

Conforme se haja conduzido em uma etapa, transfere para a outra os conteúdos que lhe servirão de alicerce para a formação da personalidade. Por outro lado, o renascimento em lares afetuosos ou agressivos, gentis ou indiferentes, entre expressões de bondade ou de acusação, resulta das ações anteriormente praticadas, que ora lhe cumpre reparar, caso hajam sido infelizes e prejudiciais, ou mais crescer, em razão dos procedimentos enobrecedores.

Assim, recuando à concepção fetal, encontra-se o ser pleno, indestrutível, herdeiro de si mesmo, trabalhador incansável do próprio progresso, que lhe cumpre conquistar a esforço pessoal.

Assim considerando, os fatores hereditários e mesológicos, psíquicos e físicos, sociais e emocionais que o compõem, estruturando-lhe a personalidade, delineando-lhe a existência humana, têm as suas matrizes fixadas nas atividades desenvolvidas anteriormente.

Aluno da vida, promoção ou recapitulação, reprovação na classe em que estuda na valiosa escola terrestre, dependem exclusivamente do próprio empenho.

Amor, Imbatível Amor

Não obstante, o avanço do conhecimento, nas áreas da Ciência e da Tecnologia, muito tem contribuído para minimizar e mesmo eliminar os fatores traumáticos das reencarnações anteriores, principalmente em razão dos avanços das doutrinas psíquicas, *descobrindo* o ser transpessoal, viajor entusiasta da imortalidade.

A valiosíssima contribuição de diferentes psicoterapias modernas constitui bênção para os transtornos psicológicos e psiquiátricos da mais variada ordem, não devendo permanecer esquecidos os fatores que desencadearam as ocorrências que precedem ao berço.

Desde o período perinatal, a partir da concepção, que os implementos do pretérito se insculpem no ser em formação, modelando-o conforme as matrizes que se lhe encontram no cerne espiritual.

Por outro lado, além das psicoterapias acadêmicas que auxiliam na libertação dos fenômenos de inibição, o interesse do paciente é de grande valia, mesmo durante o processo de reconquista da saúde.

Inicialmente deve ser estabelecido o veemente desejo de sentir-se bem, liberando-se da perturbadora sensação de permanente mal-estar a que está acostumado.

Para tanto, a substituição de pensamentos negativos, autopunitivos, autodepreciativos, por outros de ordem emuladora do progresso e da alegria, torna-se de vital importância. Logo depois, a consideração em torno de que todos se apresentam conforme lhes é possível, não lhe cabendo a vacuidade de colocar-se na posição de vítima, em que se compraz, tendo as outras pessoas como suas adversárias, com ou sem razão.

O problema conflitivo se encontra no indivíduo e não no mundo exterior. Quando ele se harmoniza, consegue enfrentar as mais hostis situações como desafios que o incitam ao crescimento interior, ao amadurecimento psicológico, porque a existência humana, em verdade, não é como aprazeria a cada um, mas conforme a estrutura dos acontecimentos e dos impositivos da sociedade, na qual todos se encontram envolvidos.

Ainda aí, no processo de autoterapia, é essencial o desenvolvimento da tolerância para considerar as pessoas como seres em crescimento, com dificuldades no trato consigo mesmas e não como criaturas especiais, eleitas, modelos, que devem constituir o melhor exemplo, embora a si se permita a justificativa de manter-se recluso nas ideias e comportamentos esdrúxulos.

Cada indivíduo é um universo de emoções, de conquistas, de valores por descobrir, merecendo investimentos de alto significado.

O desenvolvimento psicológico do ser humano é processo lento, que deve apresentar-se seguro, sem oscilações, vencendo as diferentes etapas e fixando-as no comportamento, a fim de que se estabeleçam novos patamares que devem ser conquistados.

Esse campo experimental, no qual a emoção se engrandece saudavelmente, é fértil em oportunidades criativas e compensadoras, porquanto, a inevitável busca do prazer, da harmonia, se transforma em razões emuladoras para o sucesso.

ANGÚSTIA

O filósofo Kierkegaard considera a angústia como uma *determinação que revela a condição espiritual do homem, caso se manifeste psicologicamente de maneira ambígua e o desperte para a possibilidade de ser livre.*

A angústia é a terrível agonia que limita o ser na estreiteza das paredes da insatisfação, em face da falta de objetivo e de essencialidade da existência.

Resultado de inúmeros desconfortos morais, expressa-se em desinteresse doentio e afligente, que punge o ser, levando-o a graves transtornos psicológicos.

Radicada no Espírito, exterioriza-se como ressentimento da vida, processo de desestruturação da personalidade, azedume e infelicidade.

Na infância, sem dúvida, se encontram os fatores que produziram o amargor, quando a rejeição dos pais e familiares conspirou contra o amadurecimento emocional, alardeando pessimismo em torno da criança que foi brutalizada, desestimulada de promover qualquer reação em favor de si mesma e dos valores que se lhe encontravam adormecidos, suprimindo-lhe o direito a uma existência saudável.

A *morte* dos objetivos existenciais deu-se, a pouco e pouco, graças aos espículos das injustiças implacáveis que a desnortearam quando ainda em formação, apresentando-lhe sempre a sua incapacidade para triunfar, a ausência de recursos para merecer respeito e consideração, a insistente e rude violação dos seus direitos como ser humano.

Sentindo-se desrespeitada e odiada, não tendo espaço para a catarse dos dramas íntimos que se lhe desenhavam nos painéis da mente, deslocou-se do mundo infantil iluminado, refugiando-se na caverna sombria da amargura, que passou a comandar as suas aspirações, embora de pequena monta, terminando por turbar-lhe as paisagens do sentimento e da emoção.

À medida que se foram estabelecendo os contornos e conteúdos da amargura, os resíduos psíquicos pessimistas se acumularam em forma de toxinas que passaram a envenenar-lhe os comandos mentais, entorpecendo-lhe os neurotransmissores e perturbando-lhe as comunicações.

Ainda aí se podem contabilizar, nesse doloroso processo de instalação da angústia, os efeitos do comportamento desastroso em existência transata, quando malbaratou as oportunidades felizes que lhe foram concedidas pela Vida, ou as utilizou indevidamente, produzindo desaires e desconforto, quando não gerando desgraça de efeitos demorados.

Essas vítimas tornaram-se *cobradores* inconsequentes daquele que delinquiu, hoje se reencarnando na condição de pais e demais familiares, que se atribuíram, embora inconscientemente, os direitos de rejeição ao ser que a Divindade lhes confiou para o processo de crescimento e de reparação, nesse complexo e extraordinário movimento que é a vida.

Trazendo insculpida no inconsciente profundo a culpa, após um despertar doloroso para a realidade, o Espírito, que se reconhece indigno de autoestima, mergulha no abismo da autopunição sem dar-se conta, tornando-se angustiado e, sobretudo, magoado em relação a todos e a tudo.

A culpa não diluída é terrível flagício que dilacera o ser, seja conscientemente ou não, impondo a necessidade da reparação do dano causado. Por isso mesmo, o perdão ao mal de que se foi objeto ou àquele que o infligiu é de relevante importância. Não, porém, apenas a quem agride,

Amor, Imbatível Amor

acusa ou malsina, mas também, e principalmente, a si mesmo. É indispensável que o indivíduo se permita o direito do erro, considerando, entretanto, o dever da reparação, mediante cujo esforço supera o constrangimento que a consciência do equívoco lhe impõe.

Não se trata de uma atitude permissiva para novos equívocos, e sim de um direito de ser humano que é, de lograr sucesso ou desacerto nos empreendimentos que se permite, aprendendo mediante a experimentação, que nem sempre se faz coroar de êxito. Não obstante, quando se tem consciência do gravame, com habilidade e interesse, é possível transformá-lo em bênção, porquanto, através dele, se aprende como não mais agir.

Não sendo assim conduzida, a ação tomba, em algum tipo de processo perturbador, como o de natureza angustiante.

A óptica do paciente angustiado é distorcida em relação à realidade, porque as suas lentes estão embaçadas pelas manchas morais dos prejuízos causados a outras vidas, tanto quanto em razão das injunções dolorosas a que se sentiu relegado.

Somente através do esforço bem-direcionado em favor do reequilíbrio e utilizando-se de terapia específica, é que se torna possível a libertação do estertor da angústia, restabelecendo o comportamento saudável, recuperando os objetivos existenciais perdidos em razão do estabelecimento de novos programas de vida.

Acostumado à rejeição, e somando sempre os valores negativos que defronta pela jornada, o indivíduo enfermo estabelece o falso conceito da irreversibilidade do processo, negando-se o direito de ser feliz, felicidade esta que lhe parece utópica.

Adaptado emocionalmente ao cilício do sofrimento interno, qualquer aspiração libertadora assume proporções difíceis de ser ultrapassadas. Não obstante, o amor desempenha papel fundamental nesse contubérnio, transformando-se em terapia eficiente para o conflito desesperador.

Despertando para a afetividade que lhe foi negada, e que brota inesperadamente na área dos sentimentos profundos, é possível ao paciente arregimentar poderes, energias para romper o círculo de força que o sitia, propondo-lhe uma releitura existencial e emulando-o no avanço.

O amor preenche qualquer vazio existencial, por despertar emoções inusitadas, capazes de alterar a estrutura do ser.

Quando asfixiado, continua vibrando até o momento em que irrompe como força motriz indispensável ao crescimento interior que faculta amadurecimento e visão correta das metas a serem alcançadas. Concomitantemente, o auxílio especializado de profissional competente torna-se essencial, contribuindo para a recomposição das paisagens emocionais danificadas.

O esforço pessoal, no entanto, é fator preponderante para o sucesso da busca da saúde psicológica.

Apesar de todo o empenho, porém, convém considerar-se que surgem momentos na vida, nos quais episódios de angústias se apresentam, sem que se torne abalada a harmonia emocional.

Desde que se façam controláveis e superados a breve tempo, expressam fenômeno de normalidade no transcurso da existência humana, porquanto, num comportamento horizontal, sem as experiências que se alternam, produzindo bem ou mal-estar, não se podem definir quais são as diretrizes de uma conduta realmente saudável e digna de ser conseguida.

Amor, Imbatível Amor

Toda fixação que se torna monoideísta, eliminando a polivalência dos inúmeros fenômenos que fazem parte do mecanismo da evolução, transforma-se em transtorno do comportamento, que conduz a patologias variadas, entre as quais a amargura, que se expressa como força autopunitiva, mecanismo psicótico-maníaco-depressivo que, não cuidado no devido tempo, sempre culmina em mal de consequências irreversíveis.

Abandono de si mesmo

A debilidade das resistências psicológicas, que se convertem em ausência de forças morais, conduz o paciente aos estados mórbidos, quando acometido dos desconfortos da timidez, inibição e angústia, que lhe trabalham os mecanismos da mente, deixando-o à deriva.

Revolta e pessimismo assaltam-no, levando-o a paroxismos de desesperação interior, em cujo processo mais se aflige, entorpecendo os centros do discernimento e mergulhando em fundo poço de desarmonia.

Sem motivação estimuladora para buscar objetivos salutares nos rumos existenciais, autoabandona-se, descuidando da aparência, como efeito do pessimismo que o aturde.

Passa a exigir uma assistência que se não permite, e quando alguém se dispõe a oferecê-la, recusa-a, agredindo ou fugindo para atitudes de autocomiseração, nas quais se compraz.

Porque coleciona azedume, a sua faz-se uma presença desagradável, carregada de negatividade, com altas doses de censura aos outros ou de autorreproche, evitando-se liberação.

A timidez é couraça forte que aprisiona. O tímido, no entanto, adapta-se e egoisticamente passa a viver em exílio

Joanna de Ângelis / Divaldo Franco

espontâneo, que lhe não exige luta, assim poupando-se esforços, que são inevitáveis no processo de crescimento e de conquista psicológica madura.

A inibição é tóxico que asfixia, produzindo distúrbios emocionais e físicos, transtornando a sua vítima e empurrando-a para o poço venenoso da alienação. Ali, os tóxicos dos receios injustificados asfixiam-na, produzindo-lhe enfermidades físicas e psíquicas em cujas malhas estorcega em demorada agonia.

A angústia despedaça os sentimentos que se tornam estranhos ao próprio paciente, que perde o contato com a realidade objetiva dos acontecimentos e das pessoas, para somente concentrar-se no próprio drama, isolando-o de qualquer convivência saudável, e quando não se pode evadir do meio social, permanece estranho aos demais, em cruel autopiedade, formulando considerações comparativas entre o que experimenta e o que as demais pessoas demonstram. Parece que somente ele é portador de desafios, e que as aflições se fixaram exclusivamente na sua casa mental.

Não cede espaço para a análise dos problemas que a todos assoberbam, e que podem ser examinados de forma saudável, transformando-se em fonte de permanentes estímulos para o desenvolvimento dos recursos de que é portador.

São esses distúrbios emocionais algozes implacáveis, que merecem combate sistemático e diluição contínua, não se lhes permitindo fixação interior. A ocorrência de qualquer um deles é perfeitamente normal no comportamento humano, servindo para fortalecimento dos valores íntimos e da própria saúde emocional.

Inevitável, para a sua erradicação, a busca de recursos preciosos, alguns dos quais, os mais importantes, se encon-

Amor, Imbatível Amor

tram no próprio enfermo, como, por exemplo, a autoestima, a necessidade do autoconhecimento e do positivo relacionamento no grupo social, que são negados pelos distúrbios castradores.

A autoestima, na vida humana, é de relevantes resultados, em razão de produzir fenômenos fisiológicos que decorrem dos estímulos emocionais sobre os neurônios cerebrais, que então produzem enzimas que concorrem para o bem-estar e a alegria do ser.

Da mesma forma que as ideias esdrúxulas, carregadas de altas doses de desesperança e negação, somatizam-se, dando surgimento a enfermidades variadas, as contribuições mentais idealistas, forjadas pela autoestima, confiança, coragem para a luta, produzem estados de empatia, de júbilo e de saúde.

Quando, porém, o paciente resolve absorver os transtornos que o assaltam, demorando-se na reflexão em torno deles, agindo sob os vapores venenosos que expelem, refugiando-se na autocompaixão e na rebeldia, voltando-se contra o grupo social que o pode auxiliar, não apenas amplia os efeitos perniciosos da conduta como também bloqueia os recursos de auxílio para a libertação, abrindo campo para a instalação de inumeráveis enfermidades alérgicas, de dermatoses delicadas, de problemas digestivos e respiratórios, com profundos reflexos nervosos destrambelhados ou doenças mais graves...

O indivíduo é, com muita propriedade, a mente que o direciona.

As ocorrências traumatizantes, por isso mesmo, ao invés de aceitas pelo *Self*, devem ser liberadas, mediante catarses próprias ou através da transmudação dos conteúdos, de forma que em substituição aos pensamentos destrutivos, perversos, negativos, passem a ser cultivados aqueles que devem reger as realizações edificantes, interagindo na conduta que se alterará para melhor, direcionada para a saúde.

A impossibilidade de realizá-lo a sós não se torna empecilho para que seja buscada a solução, através do psicoterapeuta preparado, para auxiliar no comportamento e na transformação dos modelos mentais perturbadores.

Ademais, porque originados no cerne do ser espiritual, que se é, a orientação competente que se deriva da evangelhoterapia, em face da contribuição do amor e do esclarecimento da causalidade dos problemas, não pode ser postergada ou levada em desconsideração.

Ressumando os miasmas dos erros pretéritos e diante de novas possibilidades que se apresentam auspiciosas, as dificuldades iniciais são a cortina de fumaça que oculta os horizontes claros do êxito, que aguardam ser conquistados após a diluição do impedimento.

Desse modo, o esforço para o autoconhecimento se transforma em necessidade terapêutica, porquanto o aprofundamento sereno na busca de respostas para os conflitos da personalidade culminará, apresentando a cada um informações que não haviam sido detectadas lucidamente, e que passarão a contribuir de forma valiosa na conduta.

Quando o indivíduo se comporta através de sucessivas reações, sem a oportunidade de atitudes conscientes, que são resultados da ponderação, do amadurecimento, da análise em torno do fato, mais se lhe agravam os efeitos perniciosos de tal atitude. É perfeitamente normal uma reação que decorre da força do instinto de preservação da vida, resguardando-se, automaticamente, de tudo aquilo que venha a

Amor, Imbatível Amor

constituir sofrimento ou desagrado. No entanto, reações em cadeia, sem intervalos para a lógica nem a meditação em volta do que está sucedendo, tornam-se morbidez de conduta, expressando o desequilíbrio instalado no campo emocional.

Ainda assim, é perfeitamente válido o esforço para a alteração do quadro, buscando entender-se, interrogando-se sobre o porquê de tal procedimento e tentando honestamente mudar dessa direção para outra mais lúcida e racional.

A convivência social, mesmo que se apresentando desagradável para o paciente, irá contribuir para que descubra valores em outras pessoas que, distanciadas, são tidas como antipáticas, inconvenientes ou desinteressantes. Nesse meio, perceberá que todas experimentam as mesmas pressões e sofrem semelhantes problemas, sendo que algumas sabem como administrá-los, dissimulá-los, superá-los, vivendo em equilíbrio, sem escorregarem pela rampa da autopunição, da autocompaixão, do autoamesquinhamento.

O abandono de si mesmo é forma de punir a incapacidade de lutar, cilício voluntário para a autodestruição, recurso para punir os familiares ou a sociedade na qual se encontra. Sentindo-se impossibilitado de competir, negando-se a lutar, recalcando os conflitos na raiva e na mágoa, castiga-se, para desforçar-se de todos aqueles que se lhe apresentam na mente atormentada como responsáveis pelo seu estado.

Enquanto o indivíduo não se resolva por crescer e ser feliz, esses algozes implacáveis e mais outros o atormentarão, ferindo-o, cada vez mais, e dominando a sociedade que passará a ser-lhe vítima.

10

Doenças da alma

Mau humor • Suspeitas infundadas
• Síndrome de pânico • Sede de vingança

O ser psicológico é o perfeito reflexo da sua realidade plena. Sendo Espírito imortal, conduz o seu patrimônio evolutivo – resultado das experiências ancestrais – que se encarrega de modelar os conteúdos delicados da sua personalidade, elaborando processos de harmonia ou desequilíbrio que resultam dos condicionamentos armazenados no psiquismo profundo.

Arquiteto da própria vida, em cada realização elabora, conscientemente ou não, os moldes que se lhe constituirão mecanismos hábeis para a movimentação nos novos investimentos.

Elaborado pela *energia inteligente*, que o torna especial no complexo campo das vibrações que se agitam no Universo, o direcionamento que resulte da arte e ciência de pensar responderá pela formação das estruturas psicológicas e físicas, psíquicas e orgânicas com as quais se haverá nos empreendimentos futuros.

Conforme pensa, constrói os delicados e sutis implementos que se transformarão em força atuante no mundo das formas. Ao mesmo tempo, exterioriza ondas específicas que se imprimem nos painéis mentais, aí insculpindo os processos psíquicos que comandarão as futuras atividades.

Em razão disso, quando as elaborações mentais não possuem carga superior de energia, elaborando imagens perniciosas e inferiores, plasmam-se nos refolhos íntimos as estruturas que irão delinear a conduta, ensejando harmonia ou abrindo espaço para a instalação de psicopatologias variadas, que se imprimirão nas engrenagens do conglomerado genético, definidor, de certo modo, graças ao perispírito, da futura estrutura do indivíduo.

As enfermidades da alma, portanto, procedem de condutas atuais como de anteriores, a que se permitiu o Espírito, engendrando as emanações morbíficas, que ora se convertem em distúrbio de natureza complexa, e que passam a exigir terapia conveniente quão cuidadosa.

O ser jamais se evade de si mesmo, do Eu interior, que sobrevive à decomposição cadavérica e é responsável por todas as ocorrências existenciais, em face da sua causalidade e da sua destinação, que tem caráter eterno.

Assim sendo, é totalmente decepcionante uma análise do indivíduo somente sob o ponto de vista orgânico, por mais respeitável seja a Escola de pensamento que se atenha a esse estudo.

A hereditariedade e os implementos psicossociais, socioeconômicos, os fatores perinatais e outros são insuficientes para abarcar a realidade do ser humano em toda a sua complexidade.

A alma transcende as emanações neuronais, possuindo uma realidade que resiste à disjunção cerebral, e por essa razão, podendo pensar sem os seus equipamentos supersensíveis, embora estes não consigam elaborar o pensamento sem a sua presença.

Amor, Imbatível Amor

Felizmente, a antiga presunção organicista vem cedendo lugar a concepções mais compatíveis com a realidade, deixando à margem a imposição acadêmica ancestral, para se firmar no testemunho dos fatos inequívocos da experimentação contemporânea.

Nessa investigação, séria e nobre, em torno do ser tridimensional – Espírito, perispírito e matéria –, se pode encontrar a psicogênese das enfermidades da alma, como também defrontar as patogêneses que assinalam a criatura humana no seu transcurso evolutivo.

O ser profundo, autor de todos os acontecimentos em sua volta, é o Espírito, seja qual for o nome que se lhe atribua.

MAU HUMOR

Realizando um périplo que se inicia na forma de *princípio inteligente*, o Espírito cresce insculpindo conquistas e desacertos no âmago da sua realidade, definindo formas, contornos e conteúdos, à medida que avança na esteira multifária da evolução.

Cada etapa se assinala por específica realização que se lhe torna patamar de sustentação para novo passo, crescendo, a pouco e pouco, no rumo da autoconquista.

O desenvolvimento psicológico ocorre-lhe lentamente, plasmando-se através das experiências que lhe desabrocham as potências adormecidas e que são elementos constitutivos da sua realidade transcendental.

De acordo com a iluminação e o discernimento conseguido, adquire *consciência de culpa* em decorrência dos atos praticados, transferindo para os novos cometimentos a necessidade de recuperação da tranquilidade perdida, que é o recurso hábil para a saúde integral.

O ser essencial é amor, no entanto, no processo de despertamento da sua potencialidade divina, adquire expressões não legítimas, que passam a atormentá-lo, já que fazem parte do processo de maturação através de negatividades, que são o desamor e as máscaras do *ego*, expressando-se como pseudoamor.

Em face desses mecanismos, com frequência as insatisfações e conflitos dão curso a estados desagradáveis de comportamento, que se podem transformar em enfermidades da alma, ou, em razão de suas raízes profundas no ser, exteriorizam-se como máscaras do *ego*, como negatividades, decorrentes dos desequilíbrios da conduta anterior.

O mau humor, que resulta de distúrbios emocionais profundos ou superficiais, instala-se de forma sutil e passa a constituir uma expressão constante no comportamento do indivíduo. Pode apresentar-se com caráter transitório ou tornar-se crônico, convertendo-se em verdadeira doença, que exige tratamento continuado e de longo prazo.

Por trazer as matrizes inseridas nos tecidos sutis da realidade espiritual, transfere-se do campo psíquico para a organização somática através da hereditariedade, que responde pela sua fixação profunda, de caráter expiatório.

Em casos tão graves, a terapia psiquiátrica é convocada a auxiliar o paciente, que se lhe deve entregar com cuidado, ao mesmo tempo alterando o modo de encarar a vida, o mundo e as pessoas, por cujo esforço renovará as paisagens íntimas e elaborará novos painéis que lhe darão cor e beleza existenciais.

Amor, Imbatível Amor

Caracteriza-se o mau humor pela apatia que o indivíduo sente em relação às ocorrências do dia a dia, à dificuldade para divertir-se, aos impedimentos psicológicos de atingir metas superiores, de bem desempenhar a função sexual, negando-se a ela ou atirando-se desordenadamente na busca de satisfações além do limite, mediante mecanismo de fuga em torno da própria problemática. Torna-se, dessa forma, pessoa solitária, egoísta, amarga...

Tais características podem levar a um diagnóstico equivocado de depressão, que se caracteriza por alternâncias de conduta; enquanto no estado de humor negativo a conduta é qual uma linha reta, desinteressante, sem emoção, permanecendo constante; na depressão essa conduta desce em fase profunda ou ascende, podendo libertar-se com relativa facilidade.

O oposto, o excesso de humor, também expressa disfunção orgânica, revelando-se em traços da personalidade em forma exagerada de otimismo que não tem qualquer justificação de conduta normal, já que se torna uma euforia, responsável pela alteração do senso da realidade. Perde-se, nesse estado, o contorno do que é real e passa-se ao exagero, tornando-se irresponsável em relação aos próprios atos, já que tudo entende como de fácil manejo e definição. Em tal situação, quando irrompe a doença, há uma excitação que conduz o paciente às compras, à agitação, à insônia, com dificuldades de concentração.

Certamente que um momento de euforia como outro de mau humor fazem parte do processo de se estar saudável, de comportar-se bem, de encontrar-se em equilíbrio. A permanência num como noutro comportamento é que denota o desajuste, a disfunção, a desarmonia emocional.

Diante de uma pessoa mal-humorada, a primeira ideia que ocorre à família ou aos amigos é a de proporcionar-lhe divertimento, mudança de clima psicológico, levando-a a sorrir, tentando gerar situação agradável ou cômica, que se lhe apresenta perturbadora, insossa, já que não consegue biologicamente produzir enzimas propiciadoras do bem-estar.

O distímico sente-se pior, em tal circunstância, formulando um conceito de culpa perturbador, ao sentir-se responsável por estar preocupando aqueles que o estimam e o cercam, tornando-se-lhe o lazer proposto uma experiência ainda mais traumática.

Ante o insucesso, familiares e amigos recuam e passam à agressão mediante apodos, denominando o enfermo como preguiçoso, indiferente ao afeto que lhe é direcionado, como se ele pudesse alterar de um para outro momento o estado de enfermidade.

Somente a paciência familiar e fraternal, o envolvimento afetivo natural, sem exageros momentâneos nem pseudoterapêuticos, e, concomitantemente a assistência psiquiátrica podem oferecer os resultados que se desejam, e que são logrados com vagar.

A *consciência de culpa* ínsita no Espírito impõe-lhe uma conduta mal-humorada, produzindo organicamente os fenômenos exteriores, que podem ser diluídos mediante uma alteração na conduta do enfermo, que se deve esforçar, certamente com muito sacrifício, a fim de recuperar-se dos equívocos, encetando novos compromissos edificantes, mediante os quais diminuirá a dívida moral, autoliberando-se do fardo esmagador.

Por outro lado, a bioenergia constitui valioso recurso terapêutico, por agir nos tecidos sutis do perispírito do en-

Amor, Imbatível Amor

fermo, auxiliando na reconstrução das suas engrenagens específicas, alterando o campo vibratório, que redundará em modificação expressiva na área neuronal.

A distimia e a euforia são, portanto, doenças da alma, que necessitam de conveniente estudo e tratamento, por assaltarem um número cada vez maior de pacientes, vitimados por si mesmos e pelos variados fatores exógenos que a todos envolvem na atualidade.

Suspeitas infundadas

O indivíduo, assinalado por *consciência de culpa* decorrente dos atos passados, que não soube ou não os quis regularizar quando do périplo carnal, renasce possuído por conflitos que procura ocultar, não conseguindo superá-los no mundo íntimo.

Assim sendo, projeta no comportamento suspeitas infundadas em relação às pessoas com quem convive, sempre temendo ser identificado pelos erros, desmascarado e trazido à realidade da reparação.

Essa conduta aflige e corrói os valores morais, trabalhando-o de maneira negativa e perturbadora, de tal forma que o torna arredio, agressivo e infeliz, levando-o, não poucas vezes, a situações vexatórias, neuróticas, por encontrar inimigos hipotéticos em toda parte, assim experimentando o fardo da culpa, que o anatematiza, e procura manter oculta.

Toda vez que se encontra no grupo social, e duas ou mais pessoas dialogam, sorriem ou se tornam austeras, logo lhe surge a ideia infeliz, a suspeita tormentosa de que se referem à sua pessoa, que comentam negativamente o seu comportamento, ou, invejosas, inferiores, comprazem-se em persegui-lo e malsinar as suas horas.

Tal conduta patológica torna-se um cruel verdugo para o paciente, que se afasta do meio social, sentindo-se rejeitado, de alguma forma detendo-se em conflito persecutório ou de ambição exagerada de grandeza, através de raciocínios lógicos, tombando num quadro paranoico.

Nesse estado torna-se refratário a qualquer ajuda, em se considerando bem, sem apresentar necessidade de alguma espécie, ao que sobrepõe o *ego* doentio, que se supõe superior.

O ser humano é essencialmente sua conduta pregressa. Em cada etapa existencial adquire compromissos que se transformam em asas de libertação ou algemas vigorosas, passando a sofrer as consequências que se transferem de uma para outra existência física, do que lhe decorrem inevitáveis efeitos morais. Ninguém, portanto, no grande périplo da evolução, que possa atravessar o processo de crescimento evadindo-se das responsabilidades estatuídas pelos Supremos Códigos e impressas na Lei natural, vigente em toda parte, que é o amor.

Toda e qualquer agressão a essa realidade transforma-se em contingente aflitivo, que atormenta até romper o elo retentor. Por outro lado, todas as conquistas se transformam em mapas de elevação, apontando rumos para o Infinito e a Plenitude.

Uma análise, portanto, do ser integral, impõe a visão reencarnacionista, propiciadora dos valores de engrandecimento, estruturando-o, fortalecendo-o.

Recupera em uma etapa o que perdeu na anterior, não necessariamente na última experiência, senão naquela que

Amor, Imbatível Amor

permanece como peso na economia da evolução, aguardando ressarcimento.

Está, portanto, no passado do Espírito, próximo ou remoto, a causa de qualquer transtorno psicológico, psíquico e orgânico, por constituir alicerce profundo do inconsciente, no qual se apoiam as novas conquistas e surgem os comportamentos decorrentes.

A psicoterapia desempenha um papel relevante ao lado dos portadores de suspeitas infundadas, auxiliando-os no autodescobrimento e na valorização da sua realidade, não das supostas qualidades que não existem, assim como das acusações que supõem lhes são feitas, e totalmente destituídas de fundamento.

Nesse contubérnio de inquietação, mentes desassociadas do corpo, que deambulam no Mundo Causal, utilizam-se do conflito e passam a obsidiar o paciente, enviando-lhe mensagens telepáticas mais infelizes, que se tornam uma forma de autopensamento, tão frequentes e contínuas se lhe fazem, que dão surgimento a processos alienantes muito graves e de consequências imprevisíveis.

Eis por que o Evangelho desempenha um papel fundamental como terapêutica em processos de tal envergadura como noutros, auxiliando o paciente a libertar-se das suspeições atordoantes e avassaladoras.

Sob tal orientação, a da saúde espiritual, surgem as possibilidades de praxiterapias valiosas, que se sustentam na ação do bem ao próximo, na caridade para com ele, resultando em caridade para com a pessoa mesma.

Lentamente se vão instalando novos raciocínios, visão mais dilatada da realidade que se apresenta, e a recuperação do distúrbio faz-se com segurança, propiciando equilíbrio e bem-estar.

SÍNDROME DE PÂNICO

Em 1980, foi estabelecido como uma entidade específica, diferente de outros transtornos de ansiedade, aquele que passou a ser denominado como síndrome de pânico, ou melhor, elucidando como transtorno de pânico, em razão de suas características serem diferentes dos conhecidos distúrbios.

A designação tem origem no deus Pan, da Mitologia grega, caracterizado pela sua fealdade e forma grotesca, parte homem, parte cabra, e que se comprazia em assustar as pessoas que se acercavam do seu *habitat*, nas montanhas da Arcádia, provocando-lhes o medo.

Durante muito tempo, esse distúrbio foi designado indevidamente como ansiedade, síndrome de despersonalização, ansiedade de separação, psicastenia, hipocondria, histeria, depressão atípica, agorafobia, até ser estudado devidamente por Sigmund Freud, ao descrever uma crise típica de pânico em uma jovem nos Alpes Suíços. Anteriormente, durante a guerra franco-austríaca de 1871, o Dr. Marion Da Costa examinou pacientes que voltavam do campo de batalha apresentando terríveis comportamentos psicológicos, com crises de ansiedade, insegurança, medo, diarreia, vertigens e ataques, entre outros sintomas, e que foram denominados como *coração irritável*, por fim tornando-se conhecido como *Síndrome de Da Costa*, pela valiosa contribuição que ele ofereceu ao seu estudo e terapia.

A síndrome de pânico pode ocorrer de um para outro momento e atinge qualquer indivíduo, particularmente

Amor, Imbatível Amor

entre os 10 e 40 anos de idade, alcançando, na atualidade, expressivo índice de vítimas, que oscila entre 1% e 2% da população em geral.

Na atualidade apresenta-se com alta incidência, levando grande número de pacientes a aflições inomináveis.

Existem fatores que desencadeiam, agravam ou atenuam essa ocorrência e podem ser catalogados como físicos e psicológicos.

Já não se pode mais considerar como responsável pelos distúrbios mentais e psicológicos uma causa unívoca, porém, uma série de fatores predisponentes, como ambientais, especialmente no de pânico.

Entre os primeiros se destacam os da hereditariedade, que se responsabilizam pela *fragilidade psíquica* e pela *ansiedade de separação*. Tais fatores genéticos facultam o desencadear da predisposição biológica para a instalação do distúrbio de pânico. Por outro lado, os conflitos infantis, geradores de insegurança e ansiedade, facultam o campo hábil para a instalação do pânico, quando se dá qualquer ocorrência direta ou indireta, que se responsabiliza pelo desencadeamento da crise.

Acredita-se que a responsabilidade básica esteja no excesso de serotonina sobre o Sistema Nervoso Central, podendo ser controlada a crise mediante a aplicação de drogas específicas tais clonazepam, não obstante ainda seja desconhecido o efeito produzido em relação a esse neuroreceptor.

O surto ou crise é de efeitos alarmantes, por transmitir uma sensação de morte, gerando pavor e desespero, que não cedem facilmente.

A utilização de palavras gentis, os cuidados verbais e emocionais com o paciente não operam o resultado desejado, em razão da disfunção orgânica, que faculta a instalação da ocorrência, embora contribuam para fortalecer no enfermo a esperança de recuperação e poder trabalhar-se o psiquismo de forma positiva, que minora a sucessão dos episódios devastadores.

Não raro, o paciente, desestruturado emocionalmente e vitimado pela sucessão das crises, pode desenvolver um estado profundo de agorafobia ou derrapar em alcoolismo, toxicomania, como evasões do problema, que mais o agravam, sem dúvida.

É uma doença que se instala com mais frequência na mulher, embora ocorra também no homem, e não se trata de um problema exclusivamente contemporâneo, resultado do estresse dos dias atuais, em razão de ser conhecida desde a Grécia antiga, havendo sido, isto sim, melhor identificada mais recentemente, podendo ser curada com cuidadoso tratamento psiquiátrico ou psicológico, desde que o paciente se lhe submeta com tranquilidade e sem a pressa que costuma acompanhar alguns processos de recuperação da saúde mental.

O distúrbio de pânico encontra-se enraizado no ser que desconsiderou as Soberanas Leis e se reencarna com predisposição fisiológica, imprimindo nos genes a *necessidade* da reparação dos delitos transatos que permaneceram sem justa retificação, porque desconhecidos da justiça humana, jamais, porém, da divina e da própria consciência do infrator. Por isso mesmo, o portador de distúrbio de pânico não transfere por hereditariedade necessariamente a predisposição aos seus descendentes, podendo ele próprio não ter antecessor nos familiares com essa disfunção explícita.

Amor, Imbatível Amor

Indispensável esclarecer que, embora a gravidade da crise, o distúrbio de pânico não leva o paciente à desencarnação, apesar de dar-lhe essa estranha e dolorosa sensação.

SEDE DE VINGANÇA

O comportamento paranoico gera uma gama de aflições perturbadoras de grande densidade, alienando o paciente que perde relativamente o contato com a realidade objetiva.

Deambulando pelos dédalos da insensatez, sente-se acuado pelos conflitos, que transfere de responsabilidade, sempre acusando as demais pessoas de o não entenderem e o perseguirem, empurrando-o para o insucesso, a infelicidade...

Afastando-se do conjunto social, elabora mecanismos de desforço como fenômeno de autorrealização, engendrando formas de constatar a superioridade mediante a queda daquele que é considerado seu opositor.

Nesse estado de inquietação engendra formas de análise inadequadas em torno da conduta alheia, derrapando em maledicências, em exageros de informações que não correspondem à realidade, culminando em calúnias que possam caracterizar imperfeição do seu opositor, situando-o em plano de inferioridade.

Dessa forma, quando o outro, o inimigo, experimenta qualquer desar, tormento ou provação, o enfermo que se lhe opõe experimenta uma alegria íntima muito grande como compensação da inferioridade na qual estagia.

Esse tormento faz-se tão cruel que, não raro, o paciente torna-se algoz inclemente daquele que se lhe torna vítima.

Na raiz desse, como de outros transtornos da personalidade, encontram-se o egoísmo exacerbado e o orgulho, que são os cânceres morais encarregados de desorganizar o ser humano, tornando-o revel.

A mente, concentrada no conteúdo da mensagem que elabora, termina por influenciar os neurônios que lhe sofrem a indução psíquica, e passam a produzir substâncias equivalentes à qualidade de onda, dando curso ao bem-estar ou aos conflitos perturbadores. Quando essa indução é mais demorada e produz agravantes de efeitos danosos, transfere-se de uma para outra existência, imprimindo nos tecidos sutis do perispírito os prejuízos causados, que remanescem como provas ou expiações que assinalam profundamente o ser espiritual.

Em face dessa razão, são impressas nos componentes genéticos as necessidades de reparação, assinalando o Espírito com os distúrbios a que deu lugar a sua conduta desastrosa.

A sede de vingança é lamentável conduta espiritual que termina por afligir aquele que a vitaliza interiormente.

Cabe ao indivíduo envidar todos os esforços para vencer esse sentimento inferior que lhe constitui motivo de demoradas angústias, porquanto é impossível desfrutar da infelicidade alheia, alegrando-se quando outrem sofre.

A aparente alegria, resultado da satisfação por sentir-se vingado, logo se transforma em profunda frustração, por desaparecer-lhe o motivo existencial.

A vida tem definidas metas que constituem motivação para a sua experiência. Quando desaparecem, o sentido existencial emurchece, se instalam as distonias, e transtornos especiais tomam lugar na área do equilíbrio.

Amor, Imbatível Amor

Cabe ao infrator desenvolver a coragem para entender que o problema não procede do exterior, de outra pessoa, porém, dele mesmo, em razão dos seus conflitos, da sua limitada percepção de consciência, em razão do trânsito em faixas primárias do conhecimento. Todavia, resolvendo-se por adquirir a saúde emocional, cumpre-lhe esforçar-se por reverter a situação, domando as más inclinações, dentre as quais se destaca a sede de vingança.

Lentamente, porém, com segurança, o amor abre-lhe perspectivas dantes não imaginadas, que se vão ampliando até conseguir a perfeita compreensão da luta que deve travar em seu mundo íntimo, a fim de autossuperar-se e encontrar a felicidade.

Todo o esforço de educação pessoal em superar as más inclinações constitui terapia valiosa para a saúde integral. Ninguém há que se considere sem necessidade dessa avaliação pessoal e do consequente esforço para a conseguir.

11

INCERTEZAS E BUSCA PSICOLÓGICA

DESAJUSTAMENTO • AFETIVIDADE PERTURBADA • BUSCA DE SI MESMO • AUTOCONFIANÇA E AUTORRENOVAÇÃO

O processo da evolução antropossociopsicológica do ser é muito lento, porquanto, passo a passo, o mecanismo do pensamento se vai desenvolvendo, abrindo perspectivas sempre mais amplas, na medida em que conquista conhecimento e discernimento.

Ampliam-se-lhe com vagar os horizontes do entendimento, que lhe facultam melhor situar-se na realidade do ser inteligente, com possibilidades de alcançar patamares sempre mais elevados.

Os transtornos e distúrbios que o assinalam podem ser considerados como desarmonias e quedas do senso psicológico, que aguarda os recursos hábeis para a sua renovação.

A predominância dos *instintos básicos*, que lhe foram indispensáveis para a sobrevivência nas faixas primárias do crescimento, permanece no mecanismo fisiológico de que se utiliza, ao tempo em que remanesce no inconsciente profundo, ressuscitando a cada momento com vigor e induzindo à permanência no primarismo.

Reações automáticas, ambições desnecessárias, receios injustificáveis projetam-no para comportamentos defensivos-agressivos e condutas extravagantes condizentes com os estágios dos quais se deve liberar.

Essa *queda* psicológica natural permanece até o momento em que se resolve por alçar-se à razão e sobrepor-se aos caprichos perturbadores, que somente são superados mediante o controle da vontade e estímulos corretos para o bem-estar sem conflitos, bem como a conquista da saúde emocional, que é responsável por outros requisitos indispensáveis para a aquisição daquela de natureza integral.

Não se pode fugir das próprias heranças interiores, que se apresentam como impulsos, necessidades e motivações para o correto sentido existencial. Por essa razão, a predominância das paixões dissolventes sustenta o fenômeno de estacionamento, quando luz a oportunidade de ascensão, de rearmonização interior para o salto valioso de superação do *ego* e conquista total do *Self*.

Quando isso ocorre, a percepção de valores metafísicos e parapsicológicos, mediúnicos e espirituais abarca o campo emocional, e agiganta-se a capacidade de entendimento da existência corporal, proporcionando a vigência do ser ideal, que se libertou das torpezas morais e dos tormentos emocionais daquelas derivados.

Esse procedimento se torna valioso compromisso que o indivíduo lúcido assume em favor dele mesmo e, por consequência, da sociedade na qual se encontra.

As suas conquistas e os seus prejuízos tornam-se fator precioso para o comportamento geral, porquanto esse todo, que é o grupo social, cresce e amadurece de acordo com os membros que o constituem.

Ninguém se pode dissociar do conjunto social sem o agravante de perder-se na alienação.

Amor, Imbatível Amor

A medida de um ser saudável é identificada mediante a sua conduta pessoal em relação a si mesmo e àqueles com quem convive. Revela-se através da maneira como se conduz, irradiando jovialidade sem alarde, alegria e comunicação fácil.

Enquanto não logra o cometimento, o trabalho incessante no campo emocional constitui-lhe o desafio a vencer.

Ascender, no entanto, psicologicamente, mediante o amadurecimento interior e o controle dos sentimentos, torna-se-lhe de impostergável necessidade.

Desajustamento

Massificado no volume perturbador que o oprime, o indivíduo descaracteriza-se, perdendo a individualidade e tornando-se títere dos hábeis manipuladores de opinião, orientadores de conceitos, que também se equivocam e, sem rumo, estabelecem comportamentos que interessam ao mercado das sensações, das novidades, da volúpia do consumismo.

Esse enfrentamento que predomina de fora para dentro da personalidade alcança resultados imediatos nas pessoas frágeis psicologicamente, tímidas e conflitivas que a eles se adaptam, a fim de ficarem de bem com o conjunto, não tendo a coragem de assumir a sua própria realidade. Mesclando-se ao comum, não chamam a atenção, podendo escamotear as dificuldades que as aturdem, perdendo o significado da existência, que passa, agora, a seguir a correnteza dos sucessos sem profundidade.

Tal insensatez conduz a comportamentos morais reprocháveis, nos quais a pusilanimidade assume destaque e expressa-se de forma equivocada. Não possuindo um senso diretor para a conduta, o indivíduo perde o contato com os valores éticos, derrapando em situações vexatórias para ele mesmo, como indignas em relação aos outros.

Caracterizam-no a ausência de lealdade nos relacionamentos, a dubiedade nas decisões, a aparente gentileza, nivelando todos no mesmo patamar, na desistência dos ideais relevantes, da forma equilibrada com que deve conduzir a própria vida.

Na massificação, o que importa é a ausência de problemas, como se toda a vida pudesse ser avaliada pelos divertimentos, pelos risos artificiais, pela leviandade.

O indivíduo, psicologicamente desajustado, procura massificar-se, de forma a não ter que enfrentar os desafios que lhe são necessários para o crescimento íntimo.

Momento surge, porém, em tal procedimento, que se torna necessária a definição de rumos, a eleição de conduta salutar, o desabrochar de preferências pessoais.

A massa é informe e dominadora, arrastando inexoravelmente à desidentificação, à vulgaridade.

Há impulsos poderosos que procedem do *Self* e não podem ser ignorados. Surgem inesperadamente, e cada qual se dá conta da sua individualidade, da sua personalidade, das suas próprias aspirações, que não estão de acordo com o que lhe é imposto e aceito até o momento sem qualquer reação. A partir de então se apresentam o despertar da consciência, a alteração de padrões e de aspirações, contribuindo para a libertação da canga aflitiva.

O indivíduo está fadado à sua realidade superior, que o caracterizará como um ser pleno, sem inquietações nem tormentos, porquanto a vida se lhe deve apresentar com o

Amor, Imbatível Amor

sentido de libertação de qualquer constrangimento, realizando-se, ajustando-se.

O instinto gregário aproxima-o de outrem, ajuda-o a formar o grupo social, mas é a razão que lhe dita a conduta para a sua preservação. Integrar-se, não significa perder-se, tornar-se invisível na massa, mas identificar-se com as suas propostas, harmonizar-se com ela, sem deixar de ser a própria estrutura, seus ideais e ambições, seus esforços e anelos, porquanto a harmonia sempre depende do equilíbrio das diferentes partes que constituem o todo.

O ser psicologicamente saudável é aquele que se mantém não afetado pelos acontecimentos, antes, porém, sensibilizado, de forma a poder contribuir para atenuar os danos, quando ocorrerem, ou auxiliar o crescimento, quando se faça necessário.

Para tanto, é indispensável o sentido de valorização da vida, de análise correta e compreensão dos elementos essenciais à preservação do equilíbrio da sociedade.

A exaltação personalista, decorrente dos fenômenos de fuga da timidez, do medo de ser descoberto na sua realidade conflitiva, torna-se necessidade emocional para destacar-se da massa, porque o indivíduo compreende que, não tendo valores éticos ou intelectuais, artísticos ou quaisquer outros que o diferenciem, chama para si os conflitos disfarçados e exibe a tormentosa condição que o diferencia, porém, de maneira excêntrica, perturbadora. É também um transtorno de comportamento que tem a ver com a instabilidade emocional e a insegurança que o atormentam.

Cada ser constrói a sua personalidade ao longo das experiências vividas e conquistadas, estabelecendo comportamentos de segurança que o assinalam e tornam-no conhecido. Abandonar essa realização é como negar-se o direito a uma vida saudável.

O enfrentamento social, como expressão de desafios existenciais, faz parte do processo de crescimento moral e de autorrealização, que propelem ao autoencontro, quando então o direcionamento da vida física se faz, com real equilíbrio e metas perfeitamente definidas.

Por outro lado, não se torna necessário fugir do meio social, por mais leviano este se apresente, agredi-lo com indiferença ou de forma aguerrida, nem colocar-se em um pedestal de falsa superioridade...

Impõe-se, isto sim, o indispensável compromisso de se estar presente, de ser participativo, porém, não dependente, não escravo, contribuindo para que ocorra a sua transformação, o seu desenvolvimento para outros valores, a sua elevação moral.

Todo indivíduo que se harmoniza interiormente deixa que surja a sua realidade emocional, superando o desajustamento que aturde a sociedade, tornando-se exemplo de saúde e de bem-estar que desperta interesse, provocando curiosidade e inveja positivas...

AFETIVIDADE PERTURBADA

A afetividade é o sentimento que se expressa mediante reações físicas positivas.

O ser humano tem necessidade de prazer, e todos os seus esforços são direcionados para usufruí-lo, evitando a experiência do sofrimento, excetuando-se os casos de transtornos masoquistas. Toda e qualquer busca, conscientemente ou

Amor, Imbatível Amor

não, aguarda a compensação do bem-estar, que é sempre a fonte motivadora para toda luta.

Desse modo, a afetividade produz uma reação de adrenalina no sangue que leva o indivíduo ao aquecimento orgânico, do qual decorre a sensação agradável do prazer, do desejo de estar próximo, do contato físico, do aperto de mão, do abraço, da carícia.

A afetividade é inerente ao ser humano, não podendo ser dele dissociada, já que também é natural em todos os animais, inicialmente como instinto de proteção à prole.

Psicologicamente, a sua exteriorização tem muito a depender do convívio perinatal e suas experiências no ambiente do lar, particularmente com a mãe.

Por uma necessidade imperiosa de segurança – que a criança perde ao sair do claustro materno – o contato físico é de vital importância para o equilíbrio do ser. Inicialmente a criança não tem ainda desenvolvido o sentimento de afeição ou de amor, mas a necessidade de ser protegida, de ter atendidas as suas necessidades, o que lhe oferece prazer, surgindo, a partir daí, a expressão emocional, também sinônimo de garantia em relação ao que necessita para viver.

O sentimento da afetividade, porém, é quase sempre acompanhado dos conflitos pessoais, que decorrem da estrutura psicológica de cada um.

Quando não se viveu plenamente na infância a experiência tranquilizadora do amor, a insegurança que se instala gera conflitos em relação à sua realidade, e todos os relacionamentos afetivos se manifestam assinalados pela presença do ciúme, da raiva ou do ressentimento.

O ciúme, que retrata a falta de autoestima, predominando a autodesvalorização, como decorrência da não

Joanna de Ângelis / Divaldo Franco

confiança em si mesmo, transforma-se em terrível algoz do ser e daqueles que fazem parte do seu relacionamento.

As exigências descabidas, as suspeitas insuportáveis produzem verdadeiros cárceres privados, nos quais se desejam aprisionar aqueles que se tornam asfixiados pela afetividade do enfermo emocional. Nesse comportamento, a desconfiança abre terríveis brechas para a hostilidade e a raiva, que sempre se unem como mecanismo de proteção daquele que se sente desamado.

De alguma forma, essa conduta resulta do abandono emocional a que se foi relegado na infância, quando as necessidades físicas e psicológicas não se faziam atendidas convenientemente, resultando nesse terrível transtorno de desestruturação da personalidade, da autoconfiança.

A desconfiança de não merecer o amor – inconscientemente – e a necessidade de impor o sentimento – acreditando sempre muito doar e nada receber – levam a patologias profundas de alienação, que derrapam em crimes variados, desde os mais simples aos mais hediondos...

O medo de não ter de volta o amor que se oferece conduz à raiva contra aquele que é alvo desse comportamento mórbido, porque o afeto sempre doa e não exige retribuição, é um sentimento ablativo, rico de oferta.

Toda vez que o amor aflora, um correspondente fisiológico irriga de sangue o organismo e advém a sensação agradável de calor, enquanto a animosidade, a antipatia, a indiferença proporcionam o refluxo do sangue para o interior, deixando a periferia do corpo fria, portanto, desagradável, perturbadora.

Todo aconchego produz calor na pele, bem-estar, enquanto o afastamento gera frio, desagrado, tornando-se

Amor, Imbatível Amor

difícil de aceitação a presença física de quem é causador de tal sensação.

O amor não pode ser imposto, mas desenvolvido, treinado, quando não surgir espontaneamente.

Esse aflorar natural tem suas raízes nas experiências anteriores do Espírito, que renasce em condições ambientais propiciatórias ou não ao seu aparecimento, ao lado de uma família afetuosa ou destituída desse sentimento, o que contribui decisivamente para a sua existência, para a sua eclosão.

Em muitos relacionamentos o amor brota com espontaneidade e cresce harmônico. Noutros, no entanto, é conflitivo, atormentado, com altibaixos de alegria e de raiva, de ansiedade e medo, de hostilidade e posse.

A necessidade de amor é imperiosa, e subjacente a ela encontra-se o desejo do contato físico, enriquecedor, estimulante.

Quando se é carente de afetividade, esta se apresenta em forma de ansiedade perturbadora, que gera conflitos e insatisfações, logo seja atendida.

Em tal caso, produz incerteza de prosseguir-se amado, após atendida a *fome* do contato físico ou emocional. Enquanto se está presente, harmoniza-se, para logo ceder lugar à insegurança, à desconfiança.

Assim sendo, o amor se torna dependente e não plenificador. Transfere sempre para o ser amado as suas necessidades de segurança, exigindo receber a mesma dose de emoção, às vezes desordenada, que descarrega no ser elegido. Essa é uma exteriorização infantil de insatisfação afetiva, não completada, que foi transferida para a idade adulta e prossegue insaciada.

A afetividade madura proporciona o prazer, sem o qual permaneceria perturbada, angustiante, caótica.

Amar é um passo avançado do desenvolvimento psicológico do ser, uma conquista da emoção, que deve superar os conflitos, enriquecendo de prazer e de júbilo aquele a quem é dirigido o afeto.

Amadurecido pela experiência da personalidade e pelo equilíbrio das emoções, proporciona bem-estar na espera sem ansiedade, e alegria no encontro sem exigência.

BUSCA DE SI MESMO

O amor desempenha um papel preponderante na construção de um ser saudável, sem o que a predominância dos instintos o mantém no primarismo, na generalidade das expressões orgânicas, sem maior controle do comportamento.

Crescendo ao lado da razão, o sentimento de amor é o grande estimulador para o progresso ético, social e espiritual da criatura, sem cuja presença se manteria nas necessidades primárias sem maior significado psicológico.

Inato no relacionamento mãe-filho, como decorrência de o último ser uma forma de apêndice da primeira, surge no pai através do instinto de proteção à sua fragilidade e dependência, que se irá desenvolvendo mediante a carga de emoção de que se faz acompanhar.

À medida que desabrocha e se desenvolve, desvela as características individuais – do Espírito que se é –, adquirindo e assimilando os conteúdos do meio social em que se encontra e que contribuem para a formação da sua identidade.

Tais fatores – inatos e sociais – estão presentes na hereditariedade – são impressos pelos valores adquiridos em

Amor, Imbatível Amor

outras existências, os quais se encarregam de modelar o ser – e decorrem da convivência do meio em que se está colocado no processo da evolução.

A aquisição ou despertamento do Si é o grande desafio da existência humana, tornando-se condição de relevância no comportamento do ser e nos enfrentamentos que deverá desenvolver.

O ser real, no entanto, está oculto pelo *ego*, pelos condicionamentos, pelos impositivos sociais, sob a máscara da personalidade...

Descobri-lo constitui um valioso desafio de natureza interior, impondo-se um mergulho no inconsciente, de forma a arrancar a realidade que se oculta sob a aparência, o legítimo escondido no projetado.

A conquista de si mesmo proporciona alegria e libertação dos sentimentos subalternos, conflitivos. Sempre vem acompanhada da individualidade, quando se tem coragem de expressar sentimentos de valor – sem agressões, mas sem temor de desagradar –, quando se assume a consciência do Si e se sabe exatamente o que se deseja, bem assim como consegui-lo.

Ao adquirir-se a identidade, experimenta-se uma irradiação de alegria, de prazer que contagia, sem o expressar em forma ruidosa, esfuziante, tornando-se pleno e feliz diante da vida.

Essa conquista independe do poder, que normalmente corrompe e deixa o indivíduo vazio quando a sós, nos momentos em que o seu prestígio não tem valor para submeter alguém ou para impor a subserviência que agrada ao *ego*, tombando no desânimo ou na revolta e fazendo-se violento.

Na conquista de si mesmo surge um magnetismo que se exterioriza, produzindo empatia e proporcionando sensação de completude, resultado do amadurecimento psicológico e do controle das emoções que fluem em harmonia.

A sua presença causa prazer nas demais pessoas, enquanto o indivíduo não realizado, não identificado, proporciona estranhas sensações de mal-estar, de desagrado. O quanto é agradável estar-se ao lado de alguém jovial, feliz, plenificado, dá-se em oposto quando se convive com alguém pessimista, queixoso, inseguro.

Cada ser irradia o que é internamente. Mesmo que muito bem apresentado pode produzir mal-estar, ou quando despido de atavios e exterioridades, é susceptível de provocar agradáveis sensações.

A busca de si mesmo nada tem a ver com o sucesso exterior, que pode ser adquirido superficialmente sem fazer-se acompanhar do interno, que é mais importante, porque define os rumos existenciais, prolongando os objetivos da vida.

Quando se busca o sucesso, o preço a pagar é muito alto, particularmente pelo que se tem de asfixiar em sentimentos internos, a fim de alcançar a meta exterior, enquanto na busca da própria realidade a nada se sacrifica; antes se desenvolve o senso de beleza, de harmonia, de interiorização sem qualquer alienação. Essa viagem interior deve ser consciente, observada, reflexionada, descobrindo-se os conteúdos emocionais e espirituais que estão soterrados no inconsciente profundo, portanto, adormecidos no Espírito.

Confunde-se muito a conquista de si mesmo, tendo-se a falsa ideia de que ela surge após conseguir-se o poder, o sucesso, a vitória sobre a massa. Todas essas realizações são exteriores, enquanto a autoidentificação tem a ver com

Amor, Imbatível Amor

a autolibertação que, no caso, é o desapego das coisas – o que não quer significar que seja o abandono delas, mas o uso sem a dependência, a valorização sem a escravidão –; das pessoas que, embora amadas, não se tornam codependentes dos caprichos impostos; das ambições perturbadoras que sempre levam a mais poder, a mais aquisição, a mais inquietação.

Valores antes não conhecidos passam a habitar a mente e a preencher as lacunas do sentimento, desenvolvendo aptidões ignoradas e trabalhando emoções não vivenciadas.

Nessa incursão interior, descobre-se quem se é, quais as possibilidades que existem e se encontram à disposição, como desenvolver os propósitos de crescimento íntimo e viver plenamente em harmonia consigo, bem como em relação com as demais pessoas e com a Natureza.

Ocorre nessa fase um peculiar *insight*, e essa iluminação norteia a conduta, que se assinala pela harmonia e confiança em si mesmo, nas suas atitudes, nas metas agora estabelecidas, trabalhando pelo crescimento intelecto-moral.

A busca da identidade proporciona a superação da massificação, ao tempo em que faculta o descobrimento da realidade espiritual que se é, em detrimento da transitoriedade carnal em que se encontra.

A vitória sobre o medo da doença, do infortúnio, da morte produz autossegurança para todos os enfrentamentos e a ampliação do futuro, que agora não mais se apresenta no limite da sepultura, do desconhecido, do aniquilamento, desdobrando metas incomensuráveis, que se ampliam fascinantes e arrebatadoras sempre que esteja vencida a anterior.

A ansiedade cede lugar à harmonia, a hostilidade natural é substituída pela cordialidade, a insegurança abre espaço para a confiança, e o mundo se apresenta não agressivo, não punitivo, não castrador, porquanto, aquele que é livre interiormente não tem obstáculos pela frente por haver-se vencido, dessa forma, tornando todo combate factível e credor de enfrentamento.

Enquanto a busca do poder é exterior, a insatisfação corrói o ser vitimado pela ambição fragilizadora, principalmente por causa da presença inevitável e dominadora da morte que espreita e a tudo devora, ameaçando as construções mais vigorosas da transitoriedade física.

Sem dúvida, a morte é um fantasma presente nas cogitações dos planos de breve ou de longo curso, porque está sempre no inconsciente humano, mesmo quando ausente na realidade objetiva.

A autoconquista da identidade é também vitória da vida imperecível, da realidade que se é, na investidura transitória em que se transita.

Cada qual deve buscar-se através de reflexões tranquilas e interiorização consciente, perguntando-se quem é, quais os objetivos que se encontram à frente e como alcançá-los, investindo alguns momentos diários a exercícios de pacificação e manutenção de pensamentos edificantes, sejam quais forem as circunstâncias.

O autoencontro dá-se, após esse labor, naturalmente e plenificador, saudável e rico de harmonia.

Autoconfiança e autorrenovação

O egoísmo é um remanescente cruel do primitivismo que predomina em a natureza humana. Responsável por inumeráveis males, comanda os indivíduos, que vilipendia;

Amor, Imbatível Amor

os grupos, que entorpece moralmente; as sociedades, que submete a seu jugo.

Resultado dos impulsos animais, conduz a pesada carga do interesse imediatista em detrimento dos valores que enobrecem, quando partilhados com o grupo social.

Porque propõe o prazer asselvajado, propele o ser humano no rumo das conquistas exteriores em mecanismos hediondos de perversidade, pouco se preocupando com os resultados nefastos que os seus lucros e triunfos oferecem à sociedade.

A meta do egoísta é o gozo pessoal, perturbador, insaciável, porque oculta a insegurança que se realiza através da posse, com o que pensa conquistar relevo e destacar-se no grupo, nunca imaginando a ocorrência terrível da solidão e do desprezo que passa a receber mesmo daqueles que o bajulam e o incensam.

O egoísta é o exemplo típico da autonegação, do descaso que tem pelo Si profundo, vitimando-se pelo alucinar das ansiedades insatisfeitas e pelo tormento de não conseguir ser amado.

A autoconfiança produz uma atitude contrária às posses externas e um trabalho de autoconquista, que pode favorecer a realidade do que se é, sem preocupação com a aparência ou com a relevância social.

Descobrindo-se herdeiro de si mesmo, o indivíduo trabalha-se a fim de crescer emocionalmente, amadurecendo conceitos e reflexões, aspirações e programas, a cuja materialização se entrega.

Reconhece as próprias dificuldades e esforça-se para superá-las, evitando a autocompaixão anestesiante quão deprimente do não entusiasmo, que sempre leva a estados enfermiços.

Identificando os valores que lhe são específicos, torna-se vulnerável à dor, sem se deixar vencer; à alegria, sem esquecer os deveres, e compreende que o processo da evolução é todo assinalado por vitórias como por derrotas, que passa a considerar como experiências que contribuirão para futuros acertos.

O processo de fuga da realidade é sempre de efêmera duração, porque os registros no inconsciente do indivíduo propelem-no vigorosamente para a frente, apesar da conjuntura imperiosa de manter os atavismos dos quais procede.

Ocorre que o ser humano está destinado à conquista da sua realidade divina, não se podendo impedir essa fatalidade.

Os transtornos de que se vê tomado são consequências das ações vivenciadas, que se vão depurando à medida que novos atos são realizados, ensejando conquistas novas e libertadoras.

Nesse trajeto, o despertar da consciência impõe discernimento para que possa compreender quais as propostas relevantes para a saúde mental e emocional, consequentemente também a de natureza física, por ser esta o efeito daquelas outras formas. O corpo é sempre o invólucro que se submete aos impositivos do ser psíquico que se é, experimentando os efeitos das irradiações do fulcro vital, que é o Espírito.

Toda e qualquer providência em favor do equilíbrio há de provir dessa fonte inexaurível de energias, encarregada de manter a estabilidade do conjunto. Quando algo ocorre, a disfunção é central, produzida por este ou aquele fator, que sempre tem a ver com as elucubrações e propósitos cultivados na forja mental.

Amor, Imbatível Amor

Aí está o campo a conquistar, onde se encontram os conteúdos definidores da identidade do ser.

Conseguindo-se a disciplina da autopenetração mental, descobre-se a pouco e pouco o mundo de tendências, de desconfortos, de frustrações, de ansiedades e de conflitos em que se encontra mergulhado, realizando, mediante a autorrenovação, o trabalho de corrigir o que se apresenta perturbador, aprimorando aquilo que pode ser alterado, superando o que seja factível de conseguir-se.

O ser humano é vida em expansão no rumo do infinito. Espírito imortal, momentaneamente cercado de sombras e envolto em tormentos de insatisfação, pode canalizar todas as energias decorrentes dos instintos básicos para os grandes voos da inteligência, superando os patamares mais primitivos da evolução com os olhos voltados para a realidade transcendente.

Emergindo do caos em cuja turbulência se agita, percebe a perenidade existente em tudo, não obstante as transformações incessantes e toma parte, emocionado, no conjunto que pulsa e se engrandece diante dos seus olhos.

Esse ser, que parece insignificante e, não poucas vezes, faz-se mesquinho ante a grandeza do cosmo, agiganta-se e descobre as infinitas possibilidades que lhe estão ao alcance, participando ativamente do concerto geral, não mais pelos impulsos, senão consciente da grandeza nele existente, que aguarda somente o desabrochar.

A autoconfiança leva ao encontro com Deus no mundo íntimo, à grandiosa finalidade para a qual existe, convidado à superação dos impedimentos transitórios que parecem asfixiá-lo.

Nesse admirável esforço surge o conhecimento de como se é e de como se encontra, descobrindo as próprias deficiências, mas igualmente as incontáveis possibilidades de que desfruta.

O perceber dos limites e conflitos faculta uma melhor dimensão da fragilidade pessoal, propiciando tomar-se de grande estima por si mesmo, sem qualquer inspiração narcisista, assim permitindo-se errar, porém preservando os objetivos de acertar, e toda vez que se compromete, em vez de tombar no mecanismo autopunitivo, busca superar o engano e conceder-se nova ocasião para se corrigir.

Não se detendo na autocompaixão perturbadora quão inútil, antes se motiva para crescer e alcançar os patamares psicológicos mais elevados, identificando-se com a Causalidade Única em tudo vibrando.

Esse empreendimento dá-se através da autorrenovação, quando surge a necessidade de modificar os planos existenciais, em face da descoberta do diferente significado e modo de viver.

Antes eram os anseios festivos e infantis das alegrias superficiais, imaturas; agora são os saltos na escala de valores que se alteram mediante a conscientização do que se é e de tudo quanto significam em favor de si mesmo e do conjunto universal.

Já não se aspira pela mudança do mundo, pela transformação da sociedade, porque se descobriu que esse cometimento tem início em si mesmo, considerando-se uma célula importante do organismo pulsante que está presente em tudo. Constatando que, enquanto houver disfunção na partícula haverá desequilíbrio no conjunto, altera o movimento emocional da aspiração cultivada e se entrega ao rit-

Amor, Imbatível Amor

mo eloquente da vida em abundância, não mais da particularização dos interesses egoicos.

A autoconfiança resulta das conquistas contínuas que demonstram o valor de que se é portador, produzindo imensa alegria íntima, que se transforma em saúde emocional, com a subsequente superação dos conflitos remanescentes das experiências passadas.

Esse processo inadiável deve ser iniciado no comportamento mental através do cultivo de ideias libertadoras, que fomentam esperança e motivam à luta, apresentando as inumeráveis formas de vitória sobre os instintos predominantes, responsáveis pelos mergulhos no abismo da agressividade e da violência.

Da reflexão mental à ação, tudo ocorre de maneira mais fácil, porquanto se instalam automaticamente nos mecanismos psíquicos, daí transferindo-se para os hábitos morais, as realizações físicas e sociais.

É neste momento que se desenvolvem o senso de beleza e graça, o anseio pela conquista do imaterial, a aspiração pelo nobre e pelo bom.

As fronteiras existenciais se dilatam, e o Espírito voa com maior capacidade de conquistas transcendentais, de expressões abstratas que estão acima das formas e dos sentidos.

Inato nas pessoas, esse sentido de graça, de beleza, de transcendência somente é descoberto após a autorrealização, quando são extraídos do âmago e se expandem nos sentimentos que se adornam de vida e de luz.

Inexoravelmente o ser humano avança na busca da sua afirmação ante a vida e todos aqueles que o cercam.

12

TRANSTORNOS CONTEMPORÂNEOS

PERDA DO SI • AUSÊNCIA DE ALEGRIA
• IMPULSOS DOENTIOS PERVERSOS

O s impulsos que se derivam dos instintos básicos levam o indivíduo à busca do prazer imediato, a fim de sobreviver aos mecanismos agressivos, àqueles que arrastam ao desequilíbrio e à consumpção física e emocional.

Ao mesmo tempo, as necessidades de preservação da existência física, a disputa por um *lugar ao Sol*, as ambições exageradas, os anseios do sentimento e os desejos perturbadores contribuem para que se instalem tormentos íntimos no ser humano, levando-o a distonias emocionais. Simultaneamente, as pressões externas, os compromissos em tempo exíguo, o tráfego desumano, a violência urbana, o medo contribuem de forma preponderante para que o equilíbrio se desnorteie, dando surgimento a disfunções psicofísicas com tendências agravantes.

A busca do prazer, no bom sentido, aquele que transcende o imediatismo sexual e o do estômago, ampliando-se à área da beleza e da estesia, da esperança e do bem-estar, emula à luta, ao tempo que desgasta a emoção, precipitando frustrações, quando a resposta não é imediata, ou ansiedade que combure, torturando de maneira lamentável.

A ilusão propiciada pelo modismo dos equipamentos eletrodomésticos e eletrônicos desencadeia a luta para adquiri--los, ao mesmo tempo que a falsa necessidade de conforto exagerado perturba as aspirações normais, desorganizando a programação de paz, em razão da perda do sentido de valores, no qual o secundário se faz preponderante em detrimento da qualidade e da ordem de conteúdos que os devem caracterizar.

A busca de sucesso, isto é, de poder, que proporciona destaque social, prestígio político, privilégios, constitui-se meta central do comportamento humano, como se a própria existência pudesse reduzir-se à transitoriedade, às variações da bolsa, aos impositivos da economia internacional, às negociações político-partidárias...

Como consequência, advêm os tormentos modernos, as lutas intérminas pela posse, as preocupações exageradas para amontoar coisas, distanciando-se da autorrealização, da autoplenificação.

Facilmente surge a desestruturação da personalidade com a instalação de distúrbios compatíveis com a intensidade do estresse.

O êxito não é portador de magia, de fenômenos que alterem o ser interior, desde que o mesmo não se encontre equipado com valores para enfrentá-lo e vivê-lo.

Eis por que, lograda a meta, outra nova se apresenta em desafio perturbador, conduzindo ao desvario e à alucinação.

Mesmo quando conseguido um estágio, o tédio, que sucede à conquista, se instala, até que outra motivação forte levante o ânimo do indivíduo, que se lhe entrega, vivenciando fases de comportamentos instáveis.

Amor, Imbatível Amor

Nesse ínterim, a fuga para o álcool, o tabaco, as drogas, o sexo em desregramento se apresentam como solução, prazer, que não atende às necessidades reais, aquelas que predominam em a natureza humana e têm transcendência, em razão da sua origem, do ser espiritual que é.

Crê-se, indevidamente, que o êxito é o medidor de valores através dos quais se destacam as pessoas. Encontra-se em qualquer tipo de busca, não somente econômica, mas também cultural, científica, social, artística, em qualquer área que seja necessário o desempenho e a manifestação de valores.

O sucesso tem sentido quando realiza o lutador, estabelecendo equilíbrio na conduta e produzindo paz interior. Em caso contrário, não se trata de uma realização legítima, porém, de uma projeção de imagem que se faz aflição pelo temer competidores, por fragilizar-se com facilidade, por estar em constantes enfrentamentos.

O significado da luta estabelece-se nas metas libertadoras dos sentimentos angustiantes, das paixões primárias, dos instintos básicos...

Perda do Si

O ser humano é, na sua essência, um animal social, programado para viver em grupo, através do qual mais facilmente pode desenvolver os sentimentos, transformar os instintos primitivos em razão, ascendendo emocionalmente até atingir o patamar da intuição. Não obstante, a herança ancestral de exclusiva vinculação com a espécie mantém-no, em algumas faixas da experiência humana, com as reações agressivas em referência aos demais membros da sociedade.

Essa conduta atávica perturbadora se desenvolve como individualismo, que o isola da comunidade, empurrando-o para a vivência de conduta estranha e alienada.

Outras vezes, para fugir a esse comportamento, persegue o sucesso com avidez tormentosa, nele colocando todas as suas aspirações.

Quando isso ocorre, e não possuindo resistências morais em desenvolvimento nem maturidade psicológica, torna-se massificado pelas conquistas tecnológicas, pela mídia insensível, desaparecendo no volume da sociedade, confundido com todos, sem possibilidades de iniciativa pessoal, de autorrealização, de identificação dos objetivos essenciais da existência humana, ocorrendo-lhe a perda do Si.

As suas são as aspirações e os gostos gerais, por sentir-se esmagado pela propaganda que o aturde, quanto mais ele a consome.

Sem opção, porque desidentificado com o Si, o *ego*, atormentado e inseguro, sucumbe pela indiferença ao assumir atitudes excêntricas como necessidade de autoafirmação.

Nessa busca, a sua definição pessoal se faz arrogante, com peculiaridades que chamam a atenção e provocam comentários. Sua indumentária, conduta, aparência e gestos mascaram a timidez e a importância emocional de que se sente vítima, numa forma de agressão ao sistema, ao qual não se impôs, e que lhe torna a realização pessoal tormentosa.

A falta de individualidade é compensada pela explosão do *ego* que aturde.

O indivíduo, nessa situação, tem medo da convivência social, e quando forma o seu grupo, é para esconder-se e chocar a sociedade em geral.

Amor, Imbatível Amor

Normalmente, trata-se de alguém enfermo. Além dos conflitos psicológicos que o assaltam, sofre de outros distúrbios fisiológicos, especialmente na área do sexo, na qual somatiza as inquietações, *mascarando-se* para negar a dificuldade e chamar a atenção pelo exotismo em que mergulha.

A sociedade agita-se em torno do sucesso, em razão do ilusório poder que ele proporciona e por decorrência de raciocínios que não correspondem à realidade, tais como: a aquisição da paz, a vitória sobre impedimentos e a ausência de problemas.

O êxito veste exteriormente o indivíduo, sem o modificar por dentro, nem conceder-lhe plenitude. Trata-se de um objetivo que se pode também transformar em mecanismo de fuga dos conflitos, que se não tem coragem de enfrentar ou que se prefere ignorar.

Não raro, ao conseguir-se o êxito, depara-se com o vazio interior, a desmotivação, o tédio.

São comuns os biótipos de sucesso que se apresentam frustrados, magoados com a vida, sucumbindo em depressão...

Aqueles que lhes invejam o luxo, a família sorridente, as extravagâncias, não percebem que tudo isso são exibicionismos que se distanciam da verdade.

Alguns triunfadores, na realidade, são tímidos quando em convívio particular – astros da mídia e sucessos das finanças –, denunciando receios injustificáveis, e quando descidos do pedestal da fama confundem-se na massa, tornando-se insignificantes.

A vida plena exige criatividade, movimentação, integração vibrante e satisfatória na busca do prazer essencial.

Todos os esforços que movem aqueles que triunfaram sobre si mesmos, através das atividades a que se entregaram

– Artes, Ciências, Filosofia, Religião – anelavam pelo encontro, a conquista do prazer e da plenitude.

Mas, não somente eles. Outros também que se não tornaram conhecidos e que não se massificaram, mantendo os seus ideais e lutando por eles com estoicismo e abnegação, alimentavam o desejo de tornar a existência prazerosa, compensadora, mesmo quando isso os levava ao holocausto, à perda dos haveres, do nome, da situação, preservando com serenidade a ambição de conquistar a imortalidade.

Na perda do Si – efeito da vida moderna –, o indivíduo frustra-se, ficando atrás daqueles que brilham, consumindo-lhes o sucesso, ao tempo em que os ajuda a vender mais, a desfrutar de mais êxito.

A sua *invisibilidade* nem sequer é percebida, mas constitui apoio e segurança para aqueles que se destacam.

De outra forma, a ocorrência também contribui para o aumento da criminalidade, para as condutas aberrantes.

A agressividade surge, então, quando o espaço diminui, seja entre os animais ou entre os homens. Comprimidos, tornam-se violentos.

Impossibilitados de alcançar ou de serem alcançados pelas luzes do sucesso, explodem em perversidades, em condutas criminosas, que os retiram do anonimato e os transformam em ídolos para os outros psicopatas que os seguirão, neles tendo os seus mitos.

Por sua vez, os seus líderes são indivíduos reais ou conceptuais que a mídia celebriza pela hediondez disfarçada de coragem, porque são defensores da Lei e da sociedade, embora os métodos truanescos de que se utilizam ou pela habilidade de burlarem o sistema, de se tornarem justiceiros

Amor, Imbatível Amor

a seu modo, ou de se imporem pelo suborno, pelo medo, pelo poder que aos outros reduz ao nada.

Uma vida saudável não naufraga na perda do *Si*, por estabelecer os seus próprios ideais, expressos em uma conduta harmônica dentro das diretrizes do socialmente aceito e caracterizada pela autoconsciência.

O sucesso exterior não prescinde daquele interno, que decorre da perfeita assimilação dos objetivos existenciais e dos interesses pessoais.

Quando se diz que outrem está realizando isso, tal não significa a verdade, mas o que dele se pensa, que ele projeta, ou no que ele crê sob o ponto de vista social, material, artístico, cultural...

A autorrealização é como um processo de autoconquista e de alossuperação, no qual se harmonizam os sentimentos, a razão e as aspirações.

Enquanto o indivíduo na massa desaparece, aquele que é feliz se destaca, irradia poder, prazer, alegria. Pode não ter valores materiais que despertem ambições, mas são ricos de saúde moral, de paz, de equilíbrio. Os seus olhos têm brilho, a sua face movimenta os músculos, a sua é a expressão da vida, da conquista interna.

Na massa, a pessoa está amorfa, patibular, morta...

A perda do *Si*, sem dúvida, é uma das muitas enfermidades dos tormentos modernos.

Ausência de alegria

Afastando a pessoa da sua realidade, retirando-lhe a individualidade, o mergulho no grupo torna-a amarga, desinteressada de si mesma, sem objetivo, passando a agir conforme a maioria prefere, adquirindo aquilo que o consumismo informa ser o mais procurado e, nesse caso, o senso crítico esmaece e o humor se entorpece, desaparecendo.

Passando a aceitar o que lhe é impingido pela propaganda, a sua capacidade de dizer *basta* desfalece enquanto afogado nas sucessivas e rápidas informações, e tem diminuído o aprofundamento nos conteúdos, retirando o prazer de conhecer, sendo conduzido à ilusória sensação de *estar a par* de tudo o que acontece, assim perdendo-se na variedade das notícias.

Graças a esse procedimento aprende a *gostar* do que lhe é imposto de forma autoritária, tendo as emoções robotizadas, porquanto o seu humor se expressa no riso em esgar ante o grotesco, o vulgar, sem o prazer de expressar a própria emoção de júbilo.

Qual ocorre com a representação televisiva, o riso da plateia – quase sempre selecionada e paga pela produção dos programas – é antinatural, decidido por alguém que sinaliza os momentos hábeis, desinteressantes, sem sentido.

Na sociedade computadorizada, ser espontâneo é quase um sacrilégio, é uma aberração.

O humor torna-se cada vez mais chulo, agressivo, não traduzindo alegria, satisfação ou a hilaridade que libera enzimas proporcionadoras de saúde e auxiliares da imunização do organismo.

Evita-se sorrir ou tem-se medo de fazê-lo. Acredita-se que não existem razões para a alegria e o senso de humor desaparece a pouco e pouco, substituído pela carantonha e pelo azedume.

Amor, Imbatível Amor

A perda do senso de humor equivale ao desaparecimento do sentido da vida, dos seus objetivos e meios de realização.

A conquista do significado existencial dá-se mediante a aquisição da capacidade crítica, do discernimento ante a verdade, da coragem de ser-se autêntico, que a vulgaridade destrói em razão das conveniências e descaracterizações da pessoa como indivíduo.

Conta-se que Dionísio, de Siracusa, na Sicília, fora um rei autoritário e cruel, que se apresentava como poeta autoconfiante no valor das suas composições, em face dos aplausos exuberantes que lhe concediam os bajuladores.

Logo terminava um poema, lia-o para os admiradores que, hipócritas, lhe exaltavam qualidades inexistentes.

Supervalorizando-se, e presunçoso, o rei mandou chamar Filoxeno, que era filósofo e poeta de caráter reto, sempre fiel à verdade.

O rei, diante dos fanáticos, leu para o convidado diversos poemas, e depois lhe indagou a respeito da qualidade deles.

Sem titubear, Filoxeno afirmou que os versos eram destituídos de valor, e que não justificavam o rei dedicar-se à sua elaboração, por faltar-lhe inspiração e destreza poética.

Diante dos falsos admiradores, que acompanhavam a audácia do homem crítico e verdadeiro, o rei, irado, mandou encarcerá-lo.

Passado um largo período, e desculpando-lhe a ofensa, graças a uma carta dos súditos, o rei mandou libertar o filósofo e trazê-lo à sua presença.

Como houvera composto um recente poema, ao qual atribuía significado literário e artístico, leu-o com emoção diante dele e da corte, e, ao concluí-lo, indagou ao recém-liberto o que achava.

Todos, na sala do trono, louvavam a métrica, o conteúdo de rara beleza e a forma da composição.

Filoxeno, que permanecera em silêncio durante todo o tempo, acercou-se de dois guardas ali postados, e pediu-lhes:

– Voltem a encarcerar-me, porque o poema continua de má qualidade e o seu criador não possui dom poético.

Ante o estupor que tomou a todos, Dionísio, que também amava a coragem, embora contrariado, libertou o filósofo que partiu em paz.

A livre expressão digna e a coragem de vivenciá-la são decorrências da capacidade de manter-se o senso crítico e de ter-se consciência do que se faz e se diz, definindo o indivíduo livre e consciente.

O filósofo Bertrand Russell e o apóstolo Mohandas Gandhi, entre muitos outros homens e mulheres admiráveis, foram encarcerados mais de uma vez, por expressarem a sua crítica ao sistema arbitrário sob o qual viviam e lutaram para mudar, tornando-se exemplos honrosos para a Humanidade.

A consciência do Si possui a nobreza de identificar a vida e a sua proposta, oferecendo alegria sem jaça na experiência humana. Apresenta facetas agradáveis e desconcertantes, que são selecionadas e, com bonomia, aceitas e vividas. Enseja a oportunidade de rir-se e de fruir-se o prazer que emula ao prosseguimento da existência.

Essa faculdade expressa o júbilo, o sentido de humor, e permite que o indivíduo saudável ria até de si mesmo, dos seus equívocos, sabendo dosar o *sal* que lhe é lícito colocar nos acontecimentos cotidianos, para fazê-los apetecíveis.

Amor, Imbatível Amor

Assim agindo, liberam-se enzimas que mantêm o equilíbrio psicofísico e bloqueiam-se toxinas prejudiciais que envenenam.

O esforço para se preservar o sentido de humor, a capacidade crítica, a busca do prazer e a própria individualidade é um desafio que deve ser aceito em favor do crescimento intelecto-moral e do desenvolvimento espiritual, que constituem as metas da vida, e que o movimento ciclópico dos dias hodiernos não tem direito de entorpecer, facultando a instalação das enfermidades que decorrem da automação, da robotização, liberando o ser para a alegria.

Impulsos doentios perversos

O equilíbrio da personalidade resulta do fenômeno de integração do *ego* com o corpo, sob o comando da mente.

Quando se rompe essa harmonia, em face das pressões que a impulsionam, advêm transtornos emocionais que conduzem a comportamentos doentios com impulsos mórbidos.

O *ego* age de forma consciente, o que não significa uma conduta correta, enquanto o corpo reage às situações de forma impulsiva, automaticamente, sendo duas correntes de forças que se devem unir para dar curso a uma personalidade unitária. Ocorrendo a reação de uma contra outra, surge uma fissura que leva à conduta de autonegação, com as suas consequências perversas.

A manutenção da harmonia das duas forças depende do grau de vitalidade, de energia do indivíduo, que o capacita ou não ao enfrentamento.

Todo o esforço, portanto, deve ser empreendido, a fim de ser mantido o controle da conduta, de forma que as ações voluntárias – do *ego* – e as inconscientes – do corpo – não se oponham, antes convirjam para o equilíbrio do ser integrado.

A ruptura dessa harmonia, liberando a alta carga de tensão de uma, que se volve contra a outra, conduz ao estado esquizofrênico.

Em razão das emoções, o *ego* não mantém sempre sobre o corpo a mesma quantidade de força, o que faculta melhor equilíbrio com ele, em decorrência dessa oscilação que diminui a carga de excitação sobre a personalidade.

Diz-se que o comportamento autodestrutivo, decorrente dos impulsos doentios, é de origem mental exclusivamente.

Sem que seja descartada essa hipótese, as suas raízes, porém, estão fincadas em experiências anteriores do Espírito que se é, responsável pela estrutura do corpo em que se está, elaborando os conflitos e a ruptura da personalidade.

O Espírito que, anteriormente, malbaratou a oportunidade de crescimento moral através de ações nefastas, enredou-se em forças vibratórias de grave conteúdo destrutivo, renascendo em lar difícil para o ajustamento efetivo, em clima de desafios de vária ordem para a aprendizagem comportamental, conduzindo a carga de energia necessária ao equilíbrio da personalidade que lhe cabe administrar.

Os fatores hostis que defronta são a auto-herança que recebe, a fim de bem aplicá-la para conseguir valores edificantes.

Na contabilidade desse espólio encontram-se saldos negativos sob a fiscalização atenta daqueles que foram lapidados e aguardam oportunidade para a cobrança.

O despertar da consciência, a pouco e pouco abre espaço para a identificação da culpa, tornando-se instrumento de autopunição com tendência maníaca para a autodestruição.

Amor, Imbatível Amor

As energias em desacordo – o *ego* atormentado e o corpo deficiente – entram em choque e produzem a desarmonia da personalidade. Os conflitos assomam à consciência e os complexos tomam corpo, açoitando os sentimentos com insegurança, medo, isolacionismo, abandono do amor e ausência de si mesmo assim como das demais pessoas.

Os comportamentos de autonegação surgem e abrem campo para os de autopunição, levando o ser ao desequilíbrio.

Nem sempre o paciente se homizia na depressão que o afasta do meio social, mas foge também para um estado interior de autodepressão, de desprezo pelo Si, embora a aparência externa permaneça e transmita uma imagem simpática, de estar bem-sucedido, de encontrar-se sorridente e de ser feliz. O tormento íntimo, porém, devora-o, porque simultaneamente o *ego* investe contra o corpo que passa a detestar.

Muitas síndromes expressam essa luta, em forma de autodesconsideração e de autoagressão.

Nesse campo de batalha, a imagem do indivíduo se torna detestável, e é necessário *castigar* o corpo, mediante dietas rigorosas e autopunitivas, caindo em distúrbios de anorexia ou de bulimia, nunca satisfazendo-se com os resultados obtidos.

Em casos mais inquietantes, ei-lo que recorre à cirurgia plástica para alterar contornos, mudar a aparência, por vicejar a insatisfação interior, refletindo-se na forma externa.

Em algumas ocasiões, o desleixo procura matar essa imagem detestada, e a insegurança íntima conduz à glutoneria, que lentamente deforma, e, subconscientemente, mata o corpo.

A perda de identidade decorre da fragmentação da personalidade, causando danos profundos à conduta que se extravia dos padrões sociais aceitos, adotando atitudes grotescas, alienando-se, buscando, nas suas fugas, aceitações exóticas em clãs *hippies*, *punks*, *skinheads* ou equivalentes...

O alcoolismo, o tabagismo, o consumo de drogas, o desvario sexual, ou a autocastração violenta deterioram o corpo e a personalidade, enquanto o *ego* implacável se consome nessa luta infeliz.

Nesse capítulo, surgem as interferências obsessivas compartilhadas, nas quais as antigas vítimas se acercam e hipnoticamente, a princípio, e depois, subjugadoramente, apossam-se-lhe do controle mental e corporal, caindo, mais tarde, na própria armadilha, e passando a experimentar os mórbidos prazeres da vingança, enquanto lhe vivenciam também os vícios.

Os impulsos autodestrutivos inerentes ao atormentado são estimulados pelas mentes desalinhadas que lhe sofreram prejuízos, e agora lhe aumentam a força desintegradora da existência física.

Outrossim, o fenômeno também ocorre quando pessoas que se sentem prejudicadas descarregam as vibrações mentais deletérias contra aquele que lhes teria sido o responsável, impondo-lhe, pelo ódio, pelo ressentimento, pela inveja, altas cargas perniciosas que são assimiladas em forma de tóxicos violentos e destrutivos.

A culpa inconsciente proporciona-lhe a sintonia com essas mentes, e o sentimento de autopunição colabora para que ocorra o desastre destrutivo por elas desencadeado e aceito pelo paciente.

Amor, Imbatível Amor

O desamor, que decorre do conflito pela falta de harmonia entre o *ego* e o corpo – ausência de prazer e de emulação para a vida –, não permite o direcionamento da afetividade a outrem nem aos meios social e ambiental, produzindo aridez emocional interior, ausência de calor de sentimento, que são incompatíveis com a vida e as suas metas.

O ser humano é estruturado para alcançar os patamares sublimes da harmonia, programado para a plenitude, o *samadhi*, o *nirvana*, o *Reino dos Céus*, a perfeição...

A busca do prazer o conduz ao encontro da felicidade – esse equilíbrio entre o psíquico, o emocional e o físico – quando se poderá libertar das experiências reencarnatórias.

Para esse cometimento o amor é preponderante, indispensável por produzir estímulos e gerar energias que mais vitalizam, quanto mais são permutadas.

Uma existência saudável caracteriza-se pela expansão do amor em sua volta, irradiando-se do fulcro interno dos próprios sentimentos.

Quando viceja no ser, orienta a personalidade, que se faz dúctil e comanda o equilíbrio do *ego* com o corpo, em razão de ser a força dinâmica do Espírito em expansão.

Autodesenvolve-se porque, ao estímulo da irradiação, potencializa-se no Psiquismo Cósmico da Divindade de que procede, vibrando em todos e em toda parte esparzindo equilíbrio, desde as galáxias às expressões microscópicas.

Nas suas manifestações iniciais responde como fonte geradora de prazer, a fim de alcançar a emoção da paz plenificadora – ausência de dor, de ansiedade, de busca, de qualquer inquietação...

Joanna de Ângelis / Divaldo Franco

É o amor o antídoto, portanto, das doenças modernas, decorrentes da massificação, da robotização, da perda do Si, porque é a alma da Vida, movimentando o Universo e humanizando o *princípio inteligente*, o Espírito, no processo de conquista da angelitude.

13

VITÓRIA DO AMOR

AMORTERAPIA • AMOR-PERDÃO
• AMOR QUE LIBERTA • AMOR DE PLENITUDE

Enquanto vicejarem os sentimentos controvertidos da atual personalidade humana, estereotipada nos clichês do imediatismo devorador; enquanto os impulsos sobrepujarem a razão nos choques dos interesses do gozo insensato; enquanto houver a predominância da natureza animal sobre a espiritual; enquanto as buscas humanas se restringirem aos limites estreitos do hoje e do agora, sem a compreensão das consequências do amanhã e do depois, o ser humano arrastará a canga do sofrimento, estorcegando-se nas rudes amarras do desespero.

Assim mesmo, nesse ser primário que rugia na Terra em convulsão enquanto olhava sem entender os círios luminíferos que brilhavam no firmamento, o amor despontava. Esse lucilar que o impulsionou à saída da caverna, à conquista das terras pantanosas e das florestas, levando-o à construção das urbes, é o influxo divino nele existente, propelindo-o sempre para a frente e para o infinito.

Daquele ser grotesco, impulsivo, instintivo, ao homem moderno, tecnológico, paranormal, da atualidade, separa um grande pego.

Não obstante esse desenvolvimento expressivo, o rugir das paixões ainda o leva à agressão injustificável, tornando-o, não poucas vezes, belicoso e perverso, ou empurra-o para a insensatez dos gozos exacerbados dos sentidos mais grosseiros, nos quais se exaure e mais se perturba, dando curso a patologias físicas e emocionais variadas.

A marcha da evolução é lenta e eivada de escolhos.

Avança-se e recua-se, de forma que as novas conquistas se sedimentem, criando condicionamentos que transformem os atavismos vigentes em necessidades futuras, substituindo os impulsos automáticos por aspirações conscientes, para que tenha lugar o florescer da harmonia que passará a predominar em todos os movimentos humanos.

A insatisfação que existe em cada indivíduo é síndrome do nascimento de novos anseios que o conduzirão à plenitude, qual madrugada que vence de forma suave e quase imperceptivelmente a noite em predomínio...

Esse amanhecer psicológico é proporcionado pelo amor, que é fonte inexaurível de energias capazes de modificar todas as estruturas comportamentais do ser humano.

Sentimento existente em germe em todos os impulsos da vida, adquire sentido e expande-se no campo da emotividade humana, quando a razão alcança a dimensão cósmica, tornando-se fulcro de vida que se irradia em todas as direções.

Presente nos instintos, embora de forma automatista, exterioriza-se na posse e defesa dos descendentes, crescendo no rumo dos interesses básicos, para tornar-se adimensional nas aspirações do belo, do nobre, do bem.

Variando de expressão e de dimensão em todos os seres, é sempre o mesmo impulso divino que brota e se

Amor, Imbatível Amor

agiganta, necessitando do direcionamento que a razão oferece, a fim de superar as barreiras do *ego* e tornar-se humanista, humanitarista, plenificador, sem particularismo, sem paixão, livre como o pensamento e poderoso quanto a força da própria vida.

AMORTERAPIA

Na causalidade atual dos distúrbios psicológicos, como naquelas anteriores, sempre se encontrará o amor-ausente como responsável.

Animalizado pelos instintos em predomínio, fez-se responsável pelos comprometimentos morais e psicológicos que engendraram os distúrbios complexos desencadeadores das personalidades psicopáticas, ora exigindo-lhes alteração de conduta interior, a fim de experimentarem equilíbrio, sem os transtornos afligentes.

A conquista do amor é resultado de processos emocionais amadurecidos, vivenciados pela conquista do Si.

Inicialmente, dá-se a paulatina conscientização da própria humanidade em latência, quando lampejam os sentimentos de solidariedade, de interdependência no grupo social, de afetividade desinteressada, de participação no processo de crescimento da sociedade.

Cada conquista que vai sendo adquirida enseja maior perspectiva de possível desenvolvimento, enquanto as necessidades da evolução desenham mais amplos espaços de movimentação emocional.

O problema do espaço físico, que contribui para a agressividade animal, à medida que se faz reduzido para a população que o habita, passa a ser enfocado de maneira diversa, em razão de o sentimento de amor demonstrar que a pessoa ao lado ou distante não é mais a competidora, aquela adversária da sua liberdade, mas se trata de participante das mesmas alegrias e oportunidades que se apresentam favoráveis a todos os seres.

O pensamento, irradiando essa onda de simpatia afetuosa, estimula os neurônios à produção de enzimas saudáveis que respondem pela harmonia do sistema nervoso simpático e estímulo das glândulas de secreção endócrina, superando as toxinas de qualquer natureza, responsáveis pelos processos degenerativos e pela deficiência imunológica, que facultam a instalação das doenças.

Por outro lado, em face do enriquecimento emocional que o amor proporciona, a alegria de viver estimula a multiplicação de imunoglobulinas que preservam o organismo físico de várias infecções, tornando-se responsáveis por um estado saudável.

Ao mesmo tempo, a irradiação psíquica produzida pelo amor direciona vibrações específicas em favor das pessoas enfocadas que, permitindo-se sintonizar com essa faixa, beneficiam-se das suas ondas carregadas de vitalidade salutar.

O Universo é estruturado em energia que se expande em forma de raios, ondas, vibrações... O ser humano, por sua vez, é um dínamo produtor de força que vem descobrindo e administrando tudo quanto o cerca.

À medida que penetra a sonda do conhecimento no que jazia ignorado, descobre a harmonia em tudo presente, identificando um fator comum, causal, predominando em a

Amor, Imbatível Amor

Natureza, que pode ser decodificado como o *hálito do Amor*, do qual surgiram os elementos constitutivos do cosmo.

A identificação dessa força poderosa, que é o amor, faculta a sua utilização de maneira consciente em favor de si mesmo como de todas as formas vivas.

As plantas absorvem as emanações do amor ou sentem-lhe a ausência, ou sofrem o efeito dos raios desintegradores do ódio, que é o amor enlouquecido e destruidor. Os animais enternecem-se, domesticam-se, quando submetidos ao dinamismo do amor que educa e cria hábitos, vitalizando-se com a ternura ou deperecendo com a sua falta, ou extinguindo-se com as atitudes que se lhe opõem.

O ser humano, mais sensível, porque portador de mais amplas possibilidades nervosas de captação – pode-se afirmar com segurança –, vive em função do amor ou desorganiza-se em razão da sua carência.

Amorterapia, portanto, é o processo mediante o qual se pode contribuir conscientemente em favor de uma sociedade mais saudável, portanto, mais justa e nobre.

Essa terapia decorre do autoamor, quando o ser se enriquece de estima por si mesmo, descobrindo o seu lugar de importância sob o sol da vida e, esplendente de alegria, reparte com as demais pessoas o sentimento que o assinala, ampliando-o de maneira vigorosa em benefício de todas as criaturas.

Enquanto as irradiações do ódio, da suspeita, do ciúme, da inveja e da sensualidade são portadoras de elementos nocivos, com alto teor de energias destrutivas, o amor emite ondas de paz, de segurança, sustentando o ânimo alquebrado pela confiança que transmite, de bondade pelo exteriorizar do afeto, de paz em razão do bem-estar que proporciona, de saúde como efeito da fonte de onde se origina.

Ao descobrir-se a potência da energia do amor, faz-se possível canalizá-la terapeuticamente a benefício próprio como do próximo.

Desaparecem, então, a competição doentia e perversa, o domínio arbitrário e devorador do egoísmo, surgindo diferente conduta entre os indivíduos, que se descobrirão portadores de inestimáveis recursos de paz e de saúde, promotores do progresso e realizadores da felicidade na Terra.

Amor-perdão

Quando vige o amor nos sentimentos, não há lugar para o ressentimento. Não obstante, em face da estrutura psicológica do ser humano, a afetividade espontânea sempre irrompe intentando crescimento, de modo a administrar as paisagens que constituem os objetivos existenciais. Não conseguindo atingir as metas, porque se depara com a agressividade inerente ao processo de desenvolvimento intelecto-moral que ainda não se pôde instalar, sente-se combatida e impelida ao recuo. Tal ocorrência, nos indivíduos menos equipados de valores éticos, gera mal-estar e choques comportamentais que se podem transformar em transtornos aflitivos.

Quando isso sucede, o ser maltratado refugia-se na mágoa, ancorando-se no desejo de desforço ou de vingança.

A injustiça de qualquer natureza é sempre uma agressão à ordem natural que deve viger em toda a parte, especialmente no homem que, por instinto, defende-se antes de

Amor, Imbatível Amor

ser agredido, arma-se temendo ser assaltado, fica à espreita em atitude defensiva...

Tudo quanto lhe constitui ameaça real ou imaginária torna-se-lhe temerário e, por mecanismo de defesa, experimenta as reações fisiológicas específicas que decorrem das expectativas psicológicas.

A raiva, sob esse aspecto, é uma reação que resulta da descarga de adrenalina na corrente sanguínea, quando se está sob tensão, medo, ansiedade ou conflito defensivo.

O medo que, às vezes, a inspira impulsiona à agressão, em cujo momento assume o comando das atitudes, assenhoreando-se da mente e da emoção.

A criatura humana, portanto, convive com esses estados emocionais que se alternam de acordo com as ocorrências, e que se podem transformar em transtornos desesperadores tais o ódio, o pânico, a mágoa enfermiça.

A mágoa ou ressentimento, segundo os estudos da Dra. Robin Kasarjian, instala-se nos sentimentos em razão do *Self* encontrar-se envolto por subpersonalidades, que são as qualidades morais inferiores, aquelas herdadas das experiências primárias do processo evolutivo, tais a inveja, o ciúme, a malquerença, a perversidade, a insatisfação, o medo, a raiva, a ira, o ódio, etc.

Quando alguém emite uma onda inferior – subpersonalidade –, ela sincroniza com uma faixa equivalente que se encontra naquele contra quem é direcionada a vibração, estabelecendo-se um contato infeliz que provoca idêntica reação.

A partir daí, estabelece-se a luta com enfrentamentos contínuos que resultam em danos para ambos os litigantes, que passam a experimentar debilidade nas suas resistências da saúde física, emocional, psíquica, econômica, social... Naturalmente, porque a alteração do comportamento se reflete na sua existência humana.

Sentindo-se vilipendiado, ofendido, injustiçado, o outro, que se supõe vítima, acumula o morbo do ressentimento e cultiva-o, como recurso justo para descarregar o sofrimento que lhe está sendo imposto.

Essa atitude pode ser comparada à condução de "uma brasa para ser atirada no adversário, que, apesar disso, enquanto não é lançada queima a mão daquele que a carrega".

O ressentimento, por isso mesmo, é desequilíbrio da emoção, que passa a atitude infeliz, profundamente infantil, qual a de querer vingar-se, embora sofrendo os danos demorados que mantêm esse estado até quando surja a oportunidade.

O amor, porém, proporciona a transformação das subpersonalidades em superpersonalidades, o que impede a sintonia com os petardos inferiores que lhe sejam disparados.

Em nossa forma de examinar a questão do ressentimento e da estrutura psicológica em torno do *Self*, acreditamos que, em se traçando uma horizontal, e partindo-se do fulcro em torno de um semicírculo para baixo, teríamos as subpersonalidades, e, naquele que está acima da linha reta, defrontamos as superpersonalidades, mesmo que, nas pessoas violentas e mais instintivas, em forma embrionária.

Toda vez que é gerada uma situação de antagonismo entre os indivíduos, as subpersonalidades se enfrentam, distendendo ondas de violência que encontram guarida no campo equivalente da pessoa objetivada.

Amor, Imbatível Amor

Não houvesse esse registro negativo e a agressão se perderia, por faltar sintonia vibratória que facultasse a captação psíquica.

O ressentimento, portanto, é efeito também da onda perturbadora que se fixa nos painéis da emotividade, ampliando o campo da subpersonalidade semelhante que se transforma em gerador de toxinas que terminam por perturbar e enfermar quem o acolhe.

Sob o direcionamento do amor, a subpersonalidade tende a adquirir valores que a irão transformar em sentimentos elevados – superpersonalidades – anulando, lentamente, a sombra, o lado mau do indivíduo, criando campo para o perdão.

É provável que, na primeira fase, o perdão não seja exatamente o olvidar da ofensa, apagando da memória a ocorrência desagradável e malfazeja. Isto virá com o tempo, à medida que novas conquistas éticas forem sendo armazenadas no inconsciente, sobrepondo-se às mazelas dominantes, por fim, anulando-lhes as vibrações deletérias que são disparadas contra o adversário, ao tempo em que desintegram as resistências daquele que as emite.

Não revidar o mal pelo mal é forma de amar, concedendo o direito de ser enfermo àquele que se transforma em agressor, que se compraz em afligir e perturbar.

Nessa condição – estágio primário do processo de desenvolvimento do pensamento e da emoção – é natural que o outro pense e aja de maneira equivocada.

O amor-perdão é um ato de gentileza que a pessoa se dispensa, não se permitindo entorpecer pelos vapores angustiantes do desequilíbrio ou desarticular-se emocionalmente sob a ação dos tóxicos do ódio ressentido.

O homem maduro psicologicamente é saudável, por isso, ama-se e perdoa-se quando se surpreende em erro, pois que percebe não ser especial ou alguém irretorquível.

Compreendendo que o trabalho de elevação se dá mediante as experiências de erros e de acertos, proporciona-se tolerância, nunca, porém, sendo complacente com esses equívocos, a ponto de os não querer corrigir.

É atitude de sabedoria perdoar-se e perdoar, porquanto a conquista dos valores éticos é consequência natural do equilíbrio emocional, patamar de segurança para a aquisição da plenitude.

O amor é força irradiante que vence as distonias da violência vigente no primarismo humano, gerador das sub-personalidades.

Surge como expressão de simpatia que toma corpo na emoção, distendendo ondas de felicidade que envolvem o ser psicológico e se torna força dominadora a conduzir os objetivos essenciais à vida digna.

Fonte proporcionadora do perdão, confunde-se com esse, porque as fronteiras aparentes não existem em realidade, desde que um somente tem vigência quando o outro se pode expressar.

Amor é saúde que se expande, tornando-se vitalidade que sustenta os ideais, fomenta o progresso e desenvolve os valores elevados que devem caracterizar a criatura humana.

Ínsito em todos os seres, é a luz da alma, momentaneamente em sombra, aguardando oportunidade de esplender e expandir-se.

Amor, Imbatível Amor

O amor completa o ser, auxiliando-o na autossuperação de problemas que perdem o significado ante a sua grandeza.

Enquanto viger nos sentimentos, não haverá lugar para os resíduos enfermiços das subpersonalidades, que se transformarão em claridade psicológica, avançando para os níveis superiores do sentimento, quando a autorrealização conseguirá perdoar a tudo e a todos, forma única de viver em plenitude.

Amor que liberta

A vigência do amor no ser humano constitui a mais alta conquista do desenvolvimento psicológico e também ético, porquanto esse estágio que surge como experiência do sentimento concretiza-se em emoções profundamente libertadoras, que facultam a compreensão dos objetivos essenciais da existência humana, como capítulo valioso da vida.

O amor suaviza a ardência das paixões, canalizando-as corretamente para as finalidades a que se propõem, sem as aflições devastadoras de que se revestem.

No emaranhado dos conflitos que, às vezes, o assaltam, mantém-se em equilíbrio, norteando o comportamento para as decisões corretas.

Por isso é sensato e sereno, resultado de inumeráveis conquistas no processo do desenvolvimento intelectual.

Enquanto a razão é fria, lógica e calculada, o amor é vibrante, sábio e harmônico.

No período dos impulsos, quando se apresenta sob as constrições dos instintos, é ardente, apaixonado, cercado de caprichos que o amadurecimento psicológico vai equilibrando através do mecanismo das experiências sucessivas.

Orientado pela razão, faz-se dúlcido e confiante, não extrapolando os limites naturais, a fim de não se tornar algema ou converter-se em expressão egoísta.

Não obstante se encontre presente em outras emoções, mesmo que em fase embrionária, tende a desenvolver-se e abarcar as subpersonalidades que manifestam os estágios do primitivismo, impulsionando-as para a ascensão, trabalhando-as para que alcancem o estágio superior.

É o amor que ilumina a face escura da personalidade, conduzindo-a ao conhecimento dos defeitos e auxiliando-a na realização inicial da autoestima, passo importante para voos mais audaciosos e necessários.

A sua presença no indivíduo confere-lhe beleza e alegria, proporciona-lhe graça e musicalidade, produzindo irradiação de bem-estar que se exterioriza, tornando-se vida, mesmo quando as circunstâncias se apresentam assinaladas por dificuldades, problemas e dores, às vezes, excruciantes.

Vincula os seres de maneira incomum, possuindo a força dinâmica que restaura as energias quando combalidas e conduz aos gestos de sacrifício e abnegação mais grandiosos possíveis.

O compromisso que produz naqueles que se unem possui um vínculo metafísico que nada interrompe, tornando-se, dessa forma, espiritual, saturado de esperanças e de paz.

O amor, quando legítimo, liberta, qual ocorre com o conhecimento da verdade, isto é, dos valores permanentes, os que são de significado profundo, que superam a superficialidade e resistem aos tempos, às circunstâncias e aos modismos.

Amor, Imbatível Amor

Funciona como elemento catalisador para os altos propósitos existenciais.

A sua ausência abre espaço para tormentos e ansiedades que produzem transtornos no comportamento, levando a estados depressivos ou de violência, porquanto, nessa circunstância, desaparecem as motivações para que a vida funcione em termos de alegria e de felicidade.

Quando o amor se instala nos sentimentos, as pessoas podem encontrar-se separadas; ele, porém, permanece imperturbável. A distância física perde o sentido geográfico e o espaço desaparece, porque ele tem o poder de preenchê-lo e colocar os amantes sempre próximos, pelas lembranças de tudo quanto significa a arte e a ciência de amar. Uma palavra evocada, um aroma sentido, uma melodia ouvida, qualquer detalhe desencadeia toda uma série de lembranças que o trazem ao tempo presente, ao momento sempre feliz.

O amor não tem passado, não se inquieta pelo futuro. É sempre hoje e agora.

O amor inspira e eleva, dando colorido às paisagens mais cinzentas, tornando-se estrelas luminosas das noites da emoção.

Não necessita ser correspondido, embora o seu calor se intensifique com o combustível da reciprocidade.

Não há quem resista à força dinâmica do amor.

Muitas vezes, não se lhe percebe a delicada presença. No entanto, a pouco e pouco impregna aquele a quem se direciona, diminuindo-lhe algumas das desagradáveis posturas e modificando-lhe as reações conflitivas.

Na raiz de muitos distúrbios do comportamento pode ser apontada a ausência do amor que se não recebeu, produzindo uma terra psicológica árida, que abriu espaço para o surgimento das ervas daninhas, que são os conflitos.

O amor não se instala de um para outro momento, tendo um curso a percorrer.

Apresenta os seus pródromos na amizade que desperta interesse por outrem e se expande na ternura, em forma de gentileza para consigo mesmo e para com aquele a quem se direciona.

É tão importante que, ausente, descaracteriza o sentido de beleza e de vida que existe em tudo.

A sua vigência é duradoura, nunca se cansando ou se amargurando, vibrando com vigor nos mecanismos emocionais da criatura humana.

Quando não se apresenta com essas características de libertação, é que ainda não alcançou o nível que o legitima, estando a caminho, utilizando-se, por enquanto, do prazer do sexo, da companhia agradável, do interesse pessoal egoístico, dos desejos expressos na conduta sensual: alimento, dinheiro, libido, vaidade, ressentimento, pois que se encontra na fase alucinada do surgimento...

O amor é luz permanente no cérebro e paz contínua no coração.

AMOR DE PLENITUDE

Em qualquer circunstância a terapia mais eficiente é amar.

O amor possui um admirável condão que proporciona felicidade, porque estimula os demais sentimentos para a conquista do *Self*, fazendo desabrochar os tesouros da saúde e da alegria de viver, conduzindo aos páramos da plenitude.

Ao estímulo do pensamento e conduzido pelo sentimento que se engrandece, o amor desencadeia reações físicas, descargas de adrenalina, que proporcionam o bem-estar e o desejo de viver na sua esfera de ação.

Inato no ser humano, porque procedente do Excelso Amor, pode ser considerado como razão da vida, na qual se desenvolvem as aptidões elevadas do Espírito, assinalado para a vitória sobre as paixões.

Mesmo quando irrompe asselvajado, como impulso na busca do prazer, expressa-se como forma de ascensão, mediante a qual abandona as baixadas do *bruto*, que nele jaz para fazer desabrochar o *anjo* para cuja conquista marcha.

A sua essência sutil comanda o pensamento dos heróis, a conduta dos santos, a beleza dos artistas, a inspiração dos gênios e dos sábios, a dedicação dos mártires, colocando beleza e cor nas paisagens mais ermas e sombrias que, por acaso, existam.

Pode ver um poema de esperança onde jaz a morte e a decomposição, já que ensina a lei das transformações de todas as coisas e ocorrências, abrindo espaço para que seja alcançada a meta estatuída nas Leis da Criação, que é a harmonia.

Mesmo no aparente caos, que a capacidade humana não consegue entender, encontra-se o Amor trabalhando as substâncias que o constituem, direcionando o labor no rumo da perfeição.

O homem sofre e se permite transtornos psicológicos porque ainda não se resolveu, realmente, pelo amor, que dá, que sorri de felicidade quando o ser amado é feliz, liberando-se do *ego* a pouco e pouco, enquanto desenvolve o sentido de solidariedade que deve viger em tudo e em todos, contribuindo com a sua quota de esforço para a conquista da sua realidade.

Liberando-se dos *instintos básicos*, ainda em predomínio, o ser avança, degrau a degrau, na escada do progresso e enriquece-se de estímulos que o levam a amar sem cessar, porquanto todas as aspirações se resumem no ato de ser quem ama.

A síntese proposta por Jesus em torno do amor é das mais belas psicoterapias que se conhecem: *Amar a Deus acima de todas as coisas e ao próximo como a si mesmo*, em uma trilogia harmônica.

Ante a impossibilidade de o homem amar a Deus em plenitude, já que tem dificuldade em conceber o Absoluto, realiza o mister, invertendo a ordem do ensinamento, amando-se de início, a fim de desenvolver as aptidões que lhe dormem em latência, esforçando-se por adquirir valores iluminativos a cada momento, crescendo na direção do amor ao próximo, decorrência natural do autoamor, já que o outro é extensão dele mesmo, para, finalmente amar a Deus, em uma transcendência incomparável, na qual o amor predomina em todas as emoções e é o responsável por todos os atos.

Diante, portanto, de qualquer situação, é necessário amar.

Desamado, deve-se amar.

Perseguido, é preciso amar.

Odiado, torna-se indispensável amar.

Amor, Imbatível Amor

Algemado a qualquer paixão dissolvente, a libertação vem pelo amor.

Quando se ama, é-se livre.

Quando se ama, é-se saudável.

Quando se ama, desperta-se para a plenitude.

Quando se ama, rompem-se as *couraças* e os *anéis* que envolvem o corpo, e o Espírito se movimenta, produzindo vida e renovação interior.

O amor é luz na escuridão dos sentimentos tumultuados, apontando o rumo.

O amor é bênção que luariza as dores morais.

O amor proporciona paz.

O amor é estímulo permanente.

Somente, portanto, através do amor, é que o ser humano alcança as cumeadas da evolução, transformando as aspirações em realidades que movimenta na direção do bem geral.

O amor de plenitude é, portanto, o momento culminante do ato de amar.

Desse modo, através do *amor, imbatível amor*, o ser se espiritualiza e avança na direção do infinito, plenamente realizado, totalmente saudável, portanto, feliz.

ANOTAÇÕES

ANOTAÇÕES